W9-CBP-300

Эльдар
РЯЗАНОВ

Эльдар
РЯЗАНОВ

ПЕРВАЯ ВСТРЕЧА — ПОСЛЕДНЯЯ ВСТРЕЧА

МОСКВА ЭКСМО 2011

УДК 82-94
ББК 84(2Рос-Рус)6-4
Р 99

Оформление А. Новикова

В книге использованы:

Фотографии Анатолия Гаранина, Галины Кмит,
Михаила Озерского, Александра Полякова,
Георгия Тер-Ованесова / РИА Новости

Фотографии из Архива РИА Новости

Photo 12 / FOTOLINK

Кадр из фильма «Сюжет для небольшого рассказа»,
реж. С. Юткевич © Киноконцерн «Мосфильм», 1969 год.
Кадр из фильма «Королевство кривых зеркал»,
реж. А. Роу © К/ст им. Горького, 1963 год.

Фотографии из личного архива Э. А. Рязанова

Рязанов Э. А.

Р 99 Первая встреча — последняя встреча / Эльдар Рязанов. — М. : Эксмо, 2011. — 384 с. : ил.

ISBN 978-5-699-45677-2

Как в кино, подумаете вы, в жизни такого не бывает.

Бывает. Все эти невероятные, фантастические, порой авантюрные истории, рассказанные Эльдаром Рязановым, происходили на самом деле. Все эти люди — яркие, смелые, очень одаренные и очень красивые — существовали, а некоторые, к счастью, и существуют. Их причудливые судьбы интереснее любого придуманного детектива. Со многими из них или с их близкими Э.Рязанов встречался во Франции, когда готовил для REN-TV цикл передач. На основе их рассказов и родилась эта книга.

Автор не просто любит – он обожает своих героев, восхищается ими. Нет сомнения, что это чувство передастся и вам.

УДК 82-94
ББК 84(2Рос-Рус)6-4

ISBN 978-5-699-45677-2

ПЕРВАЯ ВСТРЕЧА – ПОСЛЕДНЯЯ ВСТРЕЧА

Казалось бы, что может быть общего между русской княжной Анной Ярославной, ставшей королевой Франции, и Александром Вертинским, «кочевником» и родоначальником бардовской песни в России? Чем любопытна, скажем, судьба Романа Гари, единственного в мире дважды лауреата Гонкуровской премии? А судьба эта, поверьте, — невероятна! Как могло случиться, что французского кинорежиссера Роже Вадима везли в больницу сразу четыре его жены, из них три — бывшие! Какова была одиссея еврейской девушки Эли Каган, которая стала знаменитой французской писательницей Эльзой Триоле?..

Об этих сильных незаурядных людях, их невероятных судьбах я рассказываю в этой книге, причем, подчеркиваю — все эти сюжеты взяты из подлинной жизни, все в них правда. А если где-то и встречаются кое-какие фантазии, то их выдумал не я — летописец и хроникер, а сами герои новелл, некоторые из которых любили о себе лихо приврать. За что им большое спасибо! Честно говоря, я люблю своих героев.

Эльдар Рязанов

РУССКИЕ МУЗЫ

Идея рассказать о русских женщинах, ставших музами, женами, спутницами, возлюбленными, моделями великих французов, — художников и писателей, — возникла у меня в 1994 году. Для начала было решено сделать телевизионный цикл. И вот осенью того же года REN-TV — молодая «нахальная» телекомпания организовала экспедицию во Францию.

АННА – КОРОЛЕВА ФРАНЦИИ

Начали мы от «печки», то есть от дочки князя Ярослава Мудрого Анны, которая волею судеб стала в XI веке королевой Франции. Как видите, женская русская экспансия началась тысячу лет назад. Хотя в случае с Анной Ярославной слово «экспансия», пожалуй, не подходит. Она поехала за рубеж не по своей воле. Король Франции Генрих I овдовел. Ему нужна была новая жена, разумеется, молодая, нужны наследники. Король не хотел брать в жены принцессу из ближнего, как бы сказали сейчас, к Франции зарубежья, опасался интриг, заговоров, войн за наследство. Генрих слышал от купцов, что у князя Ярослава Мудрого в Киеве растут прекрасные дочери. И он послал в далекий Киев представительное посольство, куда входили и духовные лица, и дипломаты, и военные. Язык до Киева доведет, говорит русская поговорка. Почти год добирались подданные Генриха до невесты, а жених, тем временем, воевал с братьями и другими близкими родственниками, расширяя свои владения. Наконец доверенные люди прибыли в Киев и увидели Анну. Они

пришли в восхищение, и судьба девушки была решена. Ей собрали богатое приданое, в том числе знаменитое Остромирово Евангелие. На этой святыне впоследствии присягали все последующие французские короли при возведении их на престол. Караван двинулся через Европу. Везли много сундуков с добром и подарками. Ярослав снарядил для сопровождения дочери отряд отважных дружинников. Дороги были опасны — в Польше и в Германии разбойничали.

После долгого путешествия Анну привезли в город Мелун, где в то время квартировал королевский двор. Генрих был очарован невестой. В 1054 году в Реймсе состоялось венчание. Анна Французская родила трех сыновей, один из которых стал впоследствии королем Филиппом. Но счастье королевской четы было недолгим. Через семь лет Генрих I скончался, он был старше жены на двадцать лет. Принцы были маленькие, и так случилось, что русская княжна стала королевой Франции и восемь лет правила страной.

Естественно, что, собирая материалы об Анне, я приехал в старинный город Мелун, побывал в замке, в котором тысячу лет назад жила наша славная соотечественница. Замок был перестроен в XVIII веке, но сохранились старые подземные переходы с тех древних времен. А может, даже еще с более давних, когда в Мелуне хозяйничали римляне. Владелец замка нашел в этих подвалах уникальный документ. Подлинник он сдал в архив Франции, а у меня в руках оказалась копия. Оператор крупным планом снял свиток.

Сам текст этой бумаги не представляет особого интереса, тут были какие-то хозяйственные записи. Однако... Вот видите этот крест? (Я показал телезрителям свиток.) Это подпись короля Генриха I. Почему крест? Потому что он был неграмотным, не умел ни писать, ни читать. А вот подпись королевы Анны. Видите, подписано: королева Анна. И рядом с подписью здесь два креста. Естественно, ведь Анна знала два языка: славянский и французский. А если говорить серьезно, она действительно была очень образованна, и почему здесь стоят эти кресты, непонятно.

Горе молодой вдовы было не очень продолжительным. Одержимый любовью к прекрасной королеве сосед маркиз дю Кресси похитил Анну. И они стали жить, предаваясь блуду. Это вызвало огромное неудовольствие Папы Римского. Он отлучил маркиза дю Кресси от церкви. И попытался сделать то же самое с Анной, но что-то ему помешало.

Говорят, Анна прожила долгую счастливую жизнь. А вообще, кто знает? Это было так давно. Я говорю в подобных случаях: «История — это сказка, слегка приукрашенная правдой...»

Может быть, легенда об Анне, пройдя через века, каким-то образом повлияла на поведение и поступки наших последующих героинь. Но нельзя забывать и того, что образованная часть российского общества всегда тяготела к Франции, а высший свет говорил на французском языке лучше, чем на родном. Прекрасный Париж, как магнит, притягивал славянскую душу. А после октябрьского переворота 1917 года Франция стала прибежищем для сотен тысяч русских эмигрантов...

«ПРОПАВШИЕ» РИСУНКИ МОДИЛЬЯНИ

На Монпарнасе, в Париже, издавна дававшем приют художникам всего мира, расположен знаменитый дом. Он называется «Улей» и состоит только из мастерских для живописцев. Он и строился именно с этой целью. Это шестнадцатигранник, где каждая грань — огромное окно, ибо живописцам надобно много света. Название «Улей» произошло оттого, что конструкция дома напоминает пчелиные соты, где в каждой ячейке трудится пчела. Мы побывали в нескольких мастерских, — они все одинаковы и по площади, и по планировке. Здесь в первой четверти XX века жили, рисовали, писали картины замечательные художники Архипенко, Кикоэн, Сутин, Цадкин, Леже, Шагал, Модильяни. Мастерские двух последних мы, разумеется, посетили.

Собственно говоря, ради Модильяни мы сюда и пришли.

Поговорим об Амедео Модильяни и об Анне Ахматовой.

Вспоминаю ее стихи:

На шее мелких четок ряд,
В широкой муфте руки прячу,
Глаза рассеянно глядят
И больше никогда не плачут.
И кажется лицо бледней
От лиловеющего шелка,
Почти доходит до бровей
Моя незавитая челка.
И непохожа на полет
Походка медленная эта,
Как будто под ногами плот,
А не квадратики паркета.
И бледный рот слегка разжат,
Неровно трудное дыханье,
А на груди моей дрожат
Цветы небывшего свиданья.

В 1910 году Анна Андреевна приезжала в Париж. Это была молодая 20-летняя барышня, сочинявшая вполне взрослые стихи. Она познакомилась с бедным, вернее, нищим, художником Амедео Модильяни.

И дальше, по мере моего рассказа, мы с телевизионной камерой кочевали по прекрасному городу то в Люксембургский сад, то на Монмартр, то в Латинский квартал. Мы показывали телезрителям изысканные портреты, сделанные Модильяни, и фотографии с так хорошо узнаваемым профилем Ахматовой. Нам очень хотелось передать зрителям ощущение грусти и нежности, сделать их соучастниками светлой и, в конечном итоге, печальной истории, случившейся на заре XX столетия.

Модильяни писал Ахматовой в Россию после их встречи, что она в нем, как наваждение. Он поражался ее особенности угадывать мысли, распознавать чужие сны.

На следующий год Ахматова снова приехала в

Парижское кафе. 1910-е годы

Париж. Поводом послужили триумфальные выступления Дягилевского балета, но, может быть, подлинной причиной стало желание еще раз увидеть художника.

Ахматова написала воспоминания об этой дружбе, об этой любви, — трепетные, трогательные, чистые и благородные. Я хочу процитировать несколько строчек. Вот что она пишет о них двоих:

«Вероятно, мы оба не понимали одну существенную вещь. Все, что происходило, было для нас обоих предысторией нашей жизни, его — очень короткой, моей — очень длинной. Дыханье искусства еще не обуглило, еще не преобразило эти два существования. Это должен был быть светлый, легкий предрассветный час. Но будущее, которое, как из-

Анна Ахматова, 1910-е годы

вестно, бросает свою тень задолго перед тем, как войти, стучало в окно, пряталось за фонарями, пресекало сны и пугало страшным бодлеровским Парижем, который прятался где-то рядом.

И все божественное в Модильяни только искрилось сквозь какой-то мрак. Он был совсем не похож ни на кого на свете. Голос его навсегда остался в моей памяти. Я знала его нищим. И было непонятно, чем он живет. Как художник он не имел и тени признания».

Анна Андреевна вспоминает, что Модильяни был окружен плотной завесой одиночества. Он никогда и ни с кем не здоровался, жил в квартале, где обитали художники. Не упоминал имен друзей. Он был очень, очень одинок. И кроме того, невероятно беден.

Когда они сидели в Люксембургском саду, у него не было даже нескольких сантимов для того, чтобы взять стулья и сесть туда, куда им хотелось. Они садились на общественные скамейки, но все равно это было прекрасно, потому что они взахлеб читали друг другу любимые строки Бодлера или Верлена. И радовались тому, что им нравятся одни и те же стихи.

Однажды, пишет Ахматова, она, видно, не точно сговорившись с Модильяни о встрече, пришла к нему в мастерскую, но мастерская была заперта. У Анны Андреевны была с собой охапка роз, которые она купила для художника. Она заметила открытое окно — мастерская находилась в бельэтаже — и решила, что будет бросать туда по одному цветку. Модильяни на следующий день недоумевал: «Как ты смогла попасть в мастерскую, она же была закрыта?» И когда Анна Андреевна рассказала, что бросала цветы через окно, он не поверил: цветы были так

Амедео Модильяни.
Фото 1916—1917 гг.

Ахматова, рисунок Модильяни, Париж, 1911 год

красиво уложены, как будто это было сделано специально.

Модильяни рисовал обнаженную Ахматову у себя в мастерской. Он сделал шестнадцать рисунков. И просил, чтобы по возвращении в Россию она их окантовала и повесила у себя. Но все рисунки, кроме одного, исчезли в годы революции и долгое время считались пропавшими. Лишь несколько лет назад они нашлись.

Из уст самой Анны Андреевны неоднократно звучала версия об уничтожении рисунков в революционное время. Она рассказывала, что они погибли в ее царскосельском доме. Вспоминала, как красногвардейцы сворачивали из рисунков Модильяни козьи ножки, засыпали махорку и курили. Все верили в эту историю. И вдруг в 1993 году на выставке в Венеции появилось десять неизвестных рисунков великого художника, на которых была изображена одна и та же обнаженная модель с характерным горбоносым профилем. Славистка из Генуи Августа Докукина-Бобель опознала в модели Ахматову. Началась раскрутка: что? как? почему? Выяснилось, что некий доктор Поль Александер, сам человек небогатый, покупал иногда у Модильяни его работы, буквально за гроши. Свыше восьмидесяти лет пролежали эти рисунки в архиве доктора, в какой-то папке, прежде чем его наследники показали их на венецианской выставке. Далее существуют разные варианты. Может быть, рисунков было больше, чем указывала Анна Андреевна, и действительно часть из них погибла, а часть была продана художником доктору. Есть и другая версия, более вероятная. Поскольку Ахматова позировала обнаженной, она, скорее всего, хотела скрыть эти эскизы. Может, на

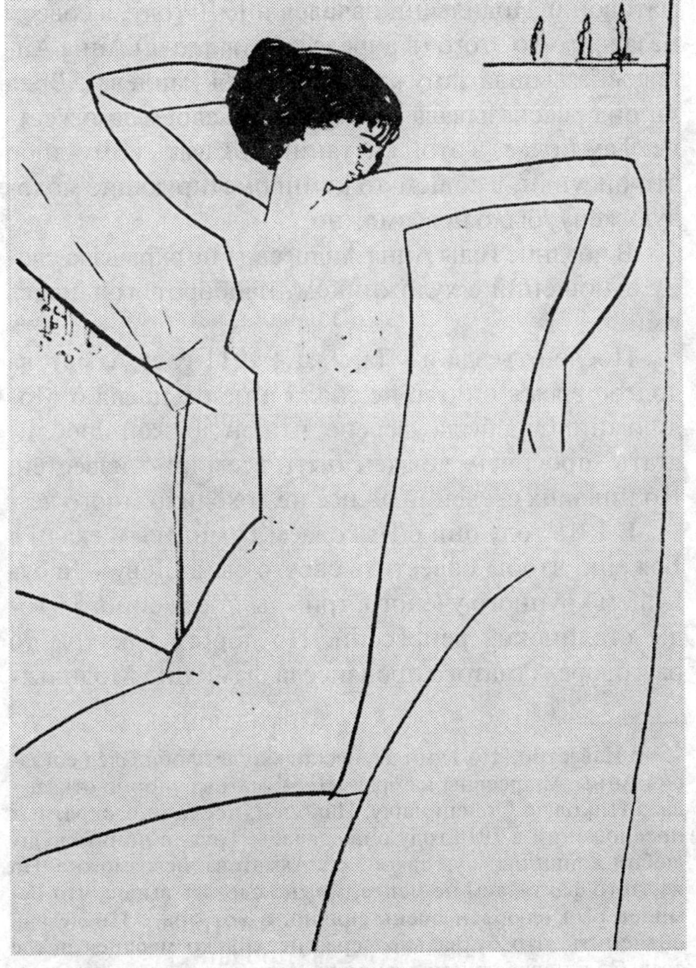

самом деле, она их оставила у Модильяни, дальше они попали к вышеупомянутому доктору. Роман Ахматовой и Модильяни начался в 1910 году, а совсем незадолго до этого (в апреле того же года) Анна Андреевна вышла замуж за Николая Гумилева[1]. Вряд ли она рассказывала Модильяни о своем замужестве. Тем более, в этой ситуации показать кому-либо эти рисунки, в общем-то компрометирующие молодую жену, было невозможно.

В поздние годы Анна Андреевна не скрывала своих отношений с художником, наоборот, гордилась ими.

После отъезда из Парижа в 1911 году Ахматова долгое время ничего не знала и не слышала о Модильяни. Она была уверена, что он должен проблистать, просиять, должен быть всемирно известен. Но никаких сведений до нее не доходило много лет.

В 1918 году они с Николаем Гумилевым ехали в Бежецк, чтобы навестить своего сына Леву — в будущем крупного ученого, трижды посаженного в годы сталинских репрессий. По дороге в каком-то разговоре Ахматова произнесла фамилию Модилья-

[1] Известно, что Гумилев несколько лет добивался согласия Анны Андреевны на брак. Но Ахматова упорно отказывала Николаю Степановичу. Наконец, после многократных предложений в 1910 году она сдалась. Трудно понять душу любой женщины, а уж такой, как Ахматова, невозможно. Но из этого факта, тем не менее, можно сделать вывод, что Гумилев был влюблен очень сильно, а вот она... Иначе как объяснить, что буквально через несколько месяцев после свадьбы у новобрачной возникли такие, безусловно, нежные отношения с молодым художником. И, конечно, повесить у себя в семейном доме картины, где она позировала обнаженной, абсолютно исключалось.

Николай Гумилев. 1910-е годы

Амедео Модильяни

ни. Гумилев заметил, что они встречались с ним в какой-то компании в Париже, и Модильяни был вдребадан пьян. Устроил скандал, почему, мол, Гумилев при всех говорит по-русски. «Пьяное чудовище» — так его обозвал Гумилев... Что это? Он что-то знал? Или же это была интуитивная ревность?

Ахматова писала, что в годы их романа Модильяни совершенно ничего не пил и от него никогда не пахло вином. Хотя какие-то фразы о наркотиках иногда в разговоре проскальзывали.

Когда начался НЭП, в начале 20-х, Ахматова была членом какой-то комиссии в издательстве «Всемирная литература». Ей в руки попал французский иллюстрированный журнал о художниках. В нем она прочитала некролог, где сообщалось, что Модильяни умер...

Я улыбаться перестала,
Морозный ветер губы студит,
Одной надеждой меньше стало,
Одною песней больше будет.
И эту песню я невольно
Отдам на смех и поруганье,
Затем что нестерпимо больно
Душе любовное молчанье.

Как печально! По сути дела, эта романтическая история не кончилась ничем. История взаимоотношений между двумя гениями — Франции и России. Между великим художником и великим поэтом. Однако эта любовная страница была...

ОЧАРОВАННАЯ ДУША — МАРИЯ КУДАШЕВА

Четвертый том «Очарованной души» Ромена Роллана предваряет такое посвящение: «Марии! Тебе, жена и друг, в дар приношу свои раны. Они лучшее, что дала мне жизнь, ими, как вехами, был отмечен каждый мой шаг вперед. Ромен Роллан, сентябрь, 1933 года».

Пришла пора поговорить о спутнице Ромена Роллана, о его жене, его музе, верной подруге, которая прожила с ним его последние годы.

Вот что писал он сам в письме своему другу, известному искусствоведу Луи Желе: «Мы с женой будем очень рады Вам. У меня теперь есть славная спутница в жизни, она разделяет мою участь, защищает меня от всех напастей».

Маша, будущая жена великого французского романиста, автора «Кола Брюньона», «Жана Кристофа», «Очарованной души», родилась в 1895 году. Ее мать была француженка, гувернантка, фамилия ее была Кувилье. Она служила в семье русского полковника, и так случилось, что отцом Марии Павловны стал этот самый полковник. Семья полковника — жена и дети — почему-то (я даже не могу понять, почему!) не обрадовались новоявленной родственнице. И как-то стали быстренько выживать из своей семьи как гувернантку, так и ребеночка. Полковнику пришлось отправить незаконнорожденную девочку во Францию к тетушке. Поэтому Мария с самого раннего детства прекрасно знала два языка — французский и русский. Но ее тянуло домой, на родину. Юной девушкой Маша вернулась в Россию. Она росла очень образованной, много читала. Дружила с сестрами Цветаевыми, Мариной и Анастасией, вошла в поэтический круг. Стала сама писать стихи. Переводила французские книги на русский язык, русские на французский, словом, была чрезвычайно одаренным человеком.

Маша (впрочем, родные и друзья чаще называли ее Майей) вышла замуж за офицера, потомка князя Кудашева, и в 1917 году у них родился сын Сергей. Однако гражданская война была безжалостной, и сыпной тиф унес белого офицера Кудашева. Мария Павловна осталась молодой вдовой с маленьким сыном на руках. Ей помогла семья Максимилиана Волошина. Около двух лет Мария Павловна прожила в Крыму в доме Волошиных. Потом она вернулась в Петербург и стала работать секретарем в Академии наук.

Знакомство Марии Павловны с Роменом Ролланом произошло таким образом. Она прочитала «Жана Кристофа» и послала автору восторженное письмо на французском языке. Тот был польщен трогательным откликом из России и ответил. Через некоторое время она написала снова. Возникла регулярная переписка между читательницей и сочинителем.

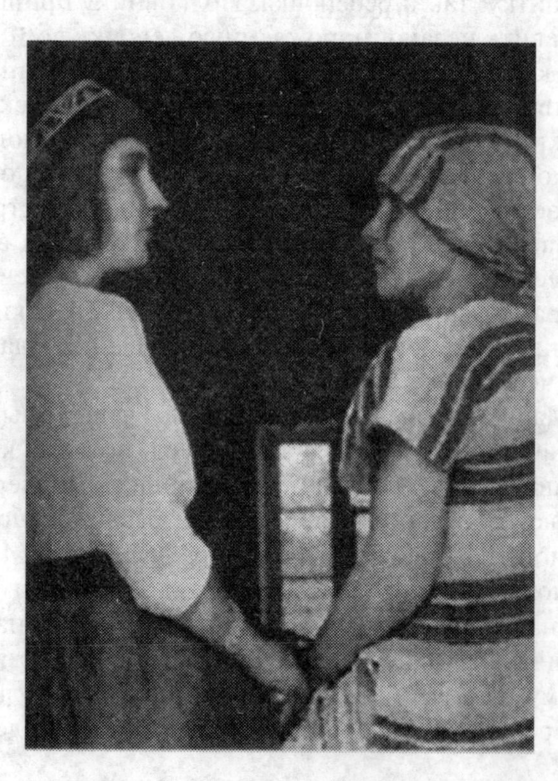

Молоденькие барышни — Марина Цветаева и Мария Кудашева

И мало-помалу ее влюбленность в героя книги, восхищение произведениями писателя перенеслись на самого автора. Мария Павловна писала ему откровенные письма, рассказывала обо всем, в том числе и о своих романах... Очевидно, ее письма содержали в себе большой страстный любовный заряд. Писатель постепенно поддавался очарованию эпистолярного дара своей корреспондентки. В конце концов, Ромен Роллан пригласил ее познакомиться. Были проблемы с семьей, поэтому они встретились в Швейцарии. Сестра писателя в штыки встречала любую его влюбленность. Через некоторое время Кудашева вернулась в Россию. Потом они еще раз недолго пожили вместе и снова расстались. И только в конце 20-х годов писатель решился. Мария Павловна приехала во Францию насовсем. Конечно, она завоевала его. Но не сомневаюсь, что с ее стороны была подлинная любовь. Уверен, что Роллан почувствовал бы фальшь, неискренность. Да и всей своей последующей жизнью Мария Павловна доказала, что классик сделал правильный выбор.

Но еще несколько лет Ромен Роллан не мог жениться на Маше. Его сестра была категорически против этого брака; только в 34-м году Мария Кудашева стала Марией Ромен Роллан[1]. По этому поводу было

---

[1] В 1934 году Ромен Роллан по приглашению М. Горького приехал в СССР. Многие издания тогда обошел снимок Р. Роллана и М. Горького. Но в центре этой фотографии была изображена женщина, которую ни на одной подписи не называли. Все подписи гласили: Ромен Роллан и Максим Горький. А в центре была жена французского писателя — Мария Кудашева. Хамство со стороны всех наших газет и журналов было неслыханное.

много пересудов и сплетен. Как же так! 70-летний великий французский писатель женился на 40-летней русской авантюристке, разница в возрасте в тридцать лет! И т. д. и т. п. Но Роллан решительно давал отпор всем нападкам на его личную жизнь.

Он искренне полюбил и своего пасынка Сережу Кудашева. Когда же началась война, связь с Россией оборвалась. Мария Павловна и Ромен Роллан ничего не знали о том, что произошло с сыном. А младший лейтенант артиллерии Сергей Кудашев пал под Москвой смертью храбрых в 41-м...

Маша и Ромен Роллан жили в маленьком городке недалеко от Парижа. Когда в 40-м году немцы вошли во Францию, они оказались в оккупированной зоне. Было тревожно: ведь Мария Павловна русская, а Ромен Роллан известен своими прогрессивными левыми взглядами. Однако немцы отнеслись к писателю довольно нейтрально. Во-первых, они знали, что в «Жане Кристофе» и в «Бетховене» он с большой симпатией описывал немцев. И кроме того, было известно, что выступал против Версальского мира, считая его позорным. Конечно, в период оккупации Ромен Роллан был угнетен. И было тяжело, унизительно, что родина находится под немецким сапогом. Вот что он писал в Москву Жану Ришару Блоку незадолго до своей кончины. Это было одно из последних писем великого писателя:

«Мы тревожимся о судьбе нашего сына Сергея Кудашева, о котором мы ничего не знаем с 40-го года. В настоящее время мы предпринимаем некоторые шаги... Я по-братски вас обнимаю, вас и вашу дорогую жену. Моя жена тоже вас обнимает. Если вы меня любите, любите и ее. Лишь благодаря ей я

Ромен Роллан и Мария Кудашева

живу. Без ее неустанной помощи, без ее нежности я не смог бы перенести эти тяготы, нескончаемые долгие мрачные годы духовной угнетенности и болезни». В 1944 году Ромена Роллана не стало. А Мария Павловна прожила еще сорок один год. Она умерла в 1985-м. Она издавала его собрания сочинений, открыла два музея, сохранила творческое наследие, собрала все письма Ромена Роллана и опубликовала его переписку. Мария Павловна оказалась верной и преданной спутницей великого французского писателя-гуманиста. Кто-то сказал: «Нужно жениться не на хорошей жене, а на хорошей вдове». Ромену Роллану удалось и первое, и второе...

ЛИДИЯ, ДОБРЫЙ АНГЕЛ МАТИССА

Муза Анри Матисса, Лидия Николаевна Делекторская, вела затворнический образ жизни. Я надеялся, что мне удастся повидаться с ней, но она решительно отказывалась от каких бы то ни было интервью. Единственное, что мне удалось, это поговорить с ней по телефону.

Я просил ее о встрече, однако получил очень вежливый, очень доброжелательный, но бесповоротный отказ. И тем не менее, мне бы хотелось, чтобы вы узнали об этой женщине, она того заслуживает. И еще как заслуживает!

Судьба Лидии Делекторской в общих чертах похожа на судьбы других русских женщин, волею обстоятельств выброшенных за пределы отчизны.

В Сибири в конце Гражданской войны погибает ее отец, а вскоре умирает мать. Девочку подбирает тетка, и она оказывается в Харбине. Харбин был спасительным островком русской эмиграции в Китае.

Здесь Лида училась в русском лицее, окончила его. Затем судьба забрасывает ее в Париж, и там в де-

Лидия Делекторская

вятнадцать лет она выходит замуж за русского эмигранта. Однако брак, очевидно, оказался неудачным, ибо когда ей исполнилось двадцать, Лидия Делекторская одна уезжает в Ниццу. Там совершенно случайно ее нанимают в ателье Матисса. Он в это время работал над большим полотном «Танец» для американского музея. Для многофигурной композиции ему нужны были натурщицы.

Полгода Лидия Николаевна проработала в мастерской, познакомилась с великим художником. Но после того как картина «Танец» была закончена, в ее услугах больше не нуждались. И Делекторская оказалась без работы.

Мадам Матисс в это время болела, и старая сиделка, которая ухаживала за ней, стала раздражать супругов. Тут они вспомнили о молчаливой русской, милой спокойной блондинке, которая плохо знала французский язык. Чета Матиссов пригласила ее. Так Лидия Делекторская поселилась в этой семье.

Это было в 1932 году. Ей было 22 года. И вся ее судьба, до ухода Матисса в 1954 году из жизни и после, оказалась связанной с великим художником. Она прилежно ухаживала за мадам Матисс, и та поначалу благоволила к ней. Что же касается Матисса, то сперва он Лидию почти не замечал. Она была для художника, ну как вещь в доме, которая делает свое дело. Со временем художник все больше и больше присматривался к ней. Матисс стал приглашать ее позировать в качестве модели. Рисовать ее портрет за портретом. У нее были красивые волосы, и Матисс попросил Лидию каждое утро мыть голову, чтобы волосы были пышными и рассыпались по плечам. Его восхищали линии ее тела, изящество. Лидия была скромна, трудолюбива, очень деликатна. И она

Анри Матисс

была молода: разница в возрасте между ней и Матиссом была огромна — 40 лет. Постепенно Лидия Делекторская стала незаменимым человеком в этой семье. Была и сиделкой, и помощницей, и служанкой, и моделью. Вскоре стала вести все дела. Это стало раздражать мадам Матисс. Отношения в семье разладились, и супруги разъехались. Мадам Матисс осталась в Париже, а Матисс уехал жить на юг Франции. Лидию он забрал с собой. Она была необходима художнику. Без нее он не мог работать. Она была с ним рядом, когда ему в начале войны делали сложную операцию; она была ему верным помощником, когда он строил и оформлял свой последний шедевр — изумительную часовню в Вансе. Эта капелла поражает безупречными пропорциями, гениальными витражами, атмосферой, которая уносит тебя ввысь, ощущением того, что все, что тебя окружает в церковке, — прекрасно. Это удивительное творение великого художника. И Лидия должна была вникать в архитектурные и строительные тонкости, быть посредником с рабочими, следить, чтобы все задуманное создателем, было воплощено в жизнь. Конечно, между ней и художником сложились доверительные дружеские отношения, душевная связь стала нерасторжимой. Но Лидия по-прежнему оставалась скромной и щепетильной.

В частности, она иногда покупала у Матисса его рисунки, эскизы, картины небольшого размера. Причем, у нее не было никаких доходов, кроме той заработной платы, которую выплачивал ей Матисс. И если порой художник хотел сделать ей скидку, продать дешевле, Делекторская категорически отказывалась. Она покупала именно за ту цену, которую, по ее мнению, Матисс мог бы получить от картинной га-

Лидия Делекторская.
Рисунки Анри Матисса

лереи. В этом не было ни игры, ни жеманства. Она жила по своим правилам и никогда их не нарушала. И она никогда не забывала о существовании семьи Матисса.

Два раза в год он дарил ей свои рисунки. Один ко дню ее рождения, другой — на Рождество. Это были подарки, сделанные от всего сердца, и она их, естественно, принимала. Она знала — художник сам говорил ей — по завещанию все оставалось семье — законной супруге и детям. Строгость, честность, справедливость были сущностью Лидии Николаевны. Больше всего она боялась доставить кому-либо какие-нибудь, даже минимальные, неудобства.

Хотя Лидия Делекторская покинула Россию совсем в раннем возрасте, она очень тосковала по Родине. В особенности она переживала в военные годы, когда страна изнемогала в суровой, кровавой войне против фашизма. В 1945 году, когда кончилась война, она попросила продать ей шесть картин, она хотела подарить их России. Матисс за эти же деньги, как у нас бы сказали, «дал с походом», то есть добавил еще одну, седьмую, картину. Все семь картин Лидия Николаевна отправила в Советский Союз — в «Эрмитаж» и в Музей изобразительных искусств имени Пушкина. Причем это было передано без всяких условий, напротив — с просьбой не упоминать ее имя.

Лидия Николаевна — абсолютная бессребреница, бескорыстная душа. Многие ей говорили: «Ты сошла с ума! Если бы ты продавала эти картины, жила бы безбедно!» А она вела и ведет очень скромный образ жизни: ездит на автобусах, электричке, у нее нет машины, маленькая квартирка. От самых разных людей мы слышали о Лидии Делекторской только одно: это редкой души человек, благородный, деликатный, застенчивый. Мне очень жаль, что нам не удалось встретиться с ней лично, познакомиться. Это позволило бы мне более полно представить вам еще одну прекрасную русскую женщину — верную спутницу великого Анри Матисса.

Она пережила человека, которому посвятила свою жизнь, на 44 года. Она была крупнейшим специалистом по творчеству французского гения. К ней всегда обращались музеи и галереи, когда надо было установить подлинность произведения. И ее суждение всегда было абсолютно верным. Никто не знал творчества Матисса лучше, чем она. Не могу не сказать еще об одном качестве Лидии Николаевны. Она стала литературным переводчиком с русского на французский. Она подружилась с лучшим писателем-стилистом нашей страны Константином Георгиевичем Паустовским. Она гостила у него в его доме в Тарусе на Оке и глубоко прониклась красотой прозы Паустовского. В результате Лидия Николаевна проделала исполинский труд — перевела на французский все творения писателя — 12 томов.

Уже в Москве я узнал, что директор Государственного музея изобразительных искусств имени А.С. Пушкина Ирина Александровна Антонова — старинный друг Делекторской. По возвращении сразу же устремился в музей, чтобы разузнать об этой странной и удивительной женщине.

Эльдар Рязанов. Ирина Александровна, скажите, пожалуйста... Матисс был уже стар, а Лидия Николаевна была молодой женщиной. Были ли там какие-то личные, любовные отношения? Я не имею в виду постель, но все-таки испытывал ли Матисс к этой женщине какие-то чувства? Короче, как вам кажется, любил ли он ее?

Ирина Александровна. Думаю, что любил. Но я не берусь объяснить чувства Матисса. Понимаете, ведь в начале своей жизни она была простой женщиной. По своему положению, по образованию, по своим знаниям, конечно, не соответствовала великому живописцу. Но она росла рядом с Матиссом — и человечески, и житейски, и в понимании искусства тоже. Лидия Николаевна обладала и обладает удивительными человеческими ценностями. Помимо ее души и духа, ее разумной головы, работоспособность у нее всегда была невероятной. Кроме того, ей были свойственны удивительное изящество, особая красота, пластичность, которые понятны художнику. Он сначала, может быть, не заметил этого, потом прозрел. Он вдруг увидел линию ее плеч, красоту ног, овал лица, ее профиль, ее фас, ее волосы, дивные белокурые волосы.

Эльдар Рязанов. Вот все это он увидел внезапно и осознал, что это то, в чем он нуждался, что это его тип. Скажите, а была ли она влюблена в Матисса?

Ирина Александровна. Трудный вопрос, Эльдар Александрович. Я с ней как-то провела отпуск в Крыму, в Доме творчества художников. Просто пригласила ее. И у нас было много свободного времени, когда мы гуляли по берегу и в окрестностях. Она никогда об этом не говорит. При этом она так не говорит, что даже не дает повода ее спросить. Понимаете, это такой человек, с которым я точно знаю, о чем нельзя разговаривать.

Эльдар Рязанов. Но не из-за жалованья же она прожила с ним двадцать два года?

Ирина Александровна. Нет, конечно, нет. И знаете, так же уверенно, как говорю о чувствах Матисса по отношению к ней, могу вам сказать: убеждена — она его любила.

Эльдар Рязанов. А в завещании он что-нибудь ей оставил?

Ирина Александровна. Ей ничего не было оставлено в завещании.

Эльдар Рязанов. Только родным?

Ирина Александровна. Только родным. Мы ведь знаем, что когда Матисс умер в Ницце, Лидия Николаевна в тот же день покинула дом. Ее долго никто не мог найти.

Дети и внуки Матисса относятся к ней с уважением. Она мудрая женщина, всё понимала. И с самого начала заняла именно такую жизненную позицию. Это и спасло ее отношения с потомками Матисса на все последующие годы.

POST SCRIPTUM

Прошло около пятнадцати лет. В июне 2010 года в Музее изобразительных искусств им. Пушкина состоялся вечер, посвященный столетию со дня рождения Лидии Николаевны Делекторской. Выступали директор музея И.А. Антонова, научные сотрудники музея, друзья, племянница Лидии Николаевны. Потом был показан большой документальный фильм о Делекторской. На этом вечере я задал Ирине Александровне два вопроса.

Эльдар Рязанов. Когда умерла Лидия Николаевна?

Ирина Александровна. Это случилось 16 марта 1998 года. Лидии Николаевне было 88 лет, она покончила с собой. До этого у нее было несколько попыток уйти из жизни.

Расскажу такую историю. Это было года за два — за три до ее ухода. Однажды я оказалась в Париже на кладбище Сен-Женевьев де Буа. Вы знаете, это русское кладбище. И вдруг я увидела свежую могильную плиту с выбитой надписью: «Лидия Делекторская. Дата рождения — 1910 год». Даты смерти не было. Я немедленно позвонила ей и спросила, что это значит? Она сказала, что, мол, готовится... что не хочет доставить каких-то неудобств с организацией ее похорон. Вот такой она человек... Я ее люблю. Просто счастье, что я встретила такого человека, таких людей очень мало...

Эльдар Рязанов. Но из фильма я узнал, что она похоронена в России, в городе Павловске под Петербургом. Как это случилось?

Ирина Александровна. Честно говоря, я не знаю...

Это было единственное, на что мудрая, замечательная, уникальная, потрясающая женщина Ирина Александровна Антонова не смогла мне ответить. Но, слава Богу, что другая потрясающая, уникальная женщина Лидия Делекторская нашла свой последний приют на Родине, в России, откуда ее вывезли маленькой девочкой...

НАДЯ ЛЕЖЕ, ОДЕРЖИМАЯ ЖИВОПИСЬЮ

У Нади Ходасевич, девочки из белорусского местечка, была неудержимая страсть к живописи. Она любила рисовать. Шла Первая мировая война, и семью Ходасевичей бросало из Белоруссии в Россию и снова в Белоруссию. Вскоре после революции 17-го года Надя прослышала, что в Смоленске открылись государственные мастерские живописи. Она самовольно, бросив семью, уезжает в Смоленск и начинает учиться в этих художественных мастерских. Преподавали тогда яркие самобытные художники. В том числе, супрематист Казимир Малевич, который в 1915 году прославился своим «Черным квадратом». Супрематизм в переводе с французского — «наивысшее, наилучшее».

Случайно в одной из библиотек города Смоленска Надя наткнулась на журнал, где было интервью с Фернаном Леже. Он утверждал, что живопись — искусство будущего. Для Нади высказывания художника, живущего в Париже, стали откровением.

Девушка запомнила имя: Фернан Леже. И решила: в Париж, в Париж! Она несколько раз пыталась самовольно поехать в Париж, но ее снимали с поезда, возвращали домой. И тут выяснилось, что одна польская семья, соседи, едет в Варшаву. Посмотрев на географическую карту, Надя поняла: Варшава это город на полпути к Парижу. Она, воспользовавшись этой оказией, приезжает в Варшаву и устраивается служанкой. Так случилось, что в нее влюбился сын ее богатых хозяев, Станислав, и они поженились. К сожалению, молодые скоро начали ссориться, и потянулись однообразные и печальные будни.

Но одержимая Надя тем не менее сумела подбить Станислава на переезд в Париж, она и его сумела заразить любовью к живописи и идеями Леже. Короче, Надя и Станислав приезжают в Париж, поселяются в семейном пансионе и направляются на улицу Нотр-Дам де Шан, 86, где помещалась Академия Фернана Леже.

Это, конечно, невероятно, но это случилось. Они оба были приняты в Академию. В то время у Фернана Леже было много учеников из разных стран и первое время он не обращал на Надю никакого внимания. Но однажды остановился около ее рисунков. Леже изумился дарованию ученицы и пригласил Надю к себе. Он показал ей свои работы. Она была ошеломлена: это было буйство красок и буйство геометрии. Новаторство Леже поражало и ослепляло.

Прошло несколько лет. Жизнь Нади со Станиславом была сложной. Родилась дочь Ванда, а скандалы с мужем продолжались. Ситуация разрешилась тем, что Станислав должен был вернуться в Польшу, чтобы служить в армии.

Надя осталась одна с дочкой, без каких бы то ни было средств к существованию. И тогда она пришла к госпоже Вальморан, хозяйке семейного пансиона, и спросила: «Госпожа Вальморан, вам не нужна служанка?» Хозяйка долго не могла понять, зачем это замужней богатой даме, ведь она занимала одну из лучших комнат в этом пансионе. Надя объяснила, что мужа у нее больше нет, они расстались, он уехал в Польшу, где служит в армии. А ей надо воспитывать дочь и учиться живописи. Поэтому она и просит взять в служанки.

Надя с дочкой перебралась в каморку на верхнем этаже пансиона. Началась трудная жизнь. Надо было вставать в пять утра, бежать за продуктами, готовить, мыть посуду, нянчить дочь, потом мчаться на занятия в Академию Леже. Так продолжалось несколько лет. Польский свекор волновался за внучку. Он знал, что у Нади плохое здоровье — предрасположенность к туберкулезу. Свекор посылал ей деньги, но она их отсылала обратно. Однажды он все-таки настоял на своем: «Я хочу, чтобы ты взяла деньги. Ванда — моя внучка, а единственный ее кормилец — это ты. Чтобы ты не заболела, тебе нужно купить шубу». Тогда Надежда Петровна поступила так: купила самую дешевую шубейку, а на оставшиеся деньги, будучи служанкой в семейном пансионе и студенткой, — надумала самостоятельно издавать журнал современного искусства. Издавала она его на двух языках, французском и польском, наняла редактора. Даже вышло два номера этого журнала. Все это говорит о ее совершенно неудержимой страсти к живописи, доходящей до сумасшествия. Во всяком случае, вряд ли история искусства знает еще подобные примеры, чтобы служанка издавала журнал о живописном авангарде...

Однажды Надя ехала в электричке из деревни и везла очень много корзин с продуктами для семей-

Надя Ходасевич (Леже)

ного пансиона мадам Вальморан. Какой-то элегантный высокий и красивый француз вызвался помочь ей. Так они познакомились, и так возникла взаимная симпатия.

Элегантного француза звали Жорж Бокье. Он служил в Министерстве почты и телеграфа. Жорж увлекался рисованием, и Надя предложила: «Хотите учиться живописи?» Так Жорж Бокье попал в Академию Фернана Леже. Вскоре он стал одним из самых первых учеников, его очень полюбил мэтр и впоследствии сделал старостой Академии.

Надя втащила красавца Жоржа Бокье не только в свою постель и в живопись, но еще и в Коммунистическую партию. Они записались в коммунистическую ячейку, ходили вместе на собрания. Казалось бы, всё хорошо. Но... в 1939 году, когда началась Вторая мировая война, Жорж Бокье в первый же день ушел на фронт. Надя активно участвовала в движении Сопротивления. Она удочерила беженку, английскую девочку, и вместе с Вандой и английской дочкой они ходили по ночному Парижу. Девочки расклеивали листовки, так чтобы не заметила полиция, а Надя стояла «на шухере».

Жизнь ее все время подвергалась опасности, за ней следили. Спасаясь от шпиков, приходилось скрываться.

Однажды Надя спряталась в парикмахерской. Но шпик продолжал дежурить у дверей. И тогда она ушла оттуда... с обрезанной косой и вдобавок блондинкой. Приходилось и приобретать документы на другое имя и фамилию. Когда кончилась война, Надя хотела помочь советским военнопленным. Она решила организовать аукцион. Упросила Леже, и он дал свою картину. Обратилась к Пикассо. Тот для этой цели дал три полотна. Следующим был Жорж Брак, и от него Надя не ушла с пустыми руками. Она обошла многих художников, собрала целую коллекцию. Аукцион прошел успешно, деньги были собраны. И сумма оказалась весьма внушительной...

С войны вернулся Бокье, роман возобновился. Надя продолжала работать в Академии с Фернаном Леже, стала его правой рукой. Она помогала ему, разрабатывала его эскизы. И сама занималась живописью — портретами, пейзажами. В 1951 году в семью Леже пришла беда, умерла его жена. 70-летнему старику было одиноко, он стал часто приходить к Наде по вечерам.

Жалость к учителю, многолетнее сотрудничество и дружба — всё это привело к тому, что Надя стала женой Фернана Леже.

Надо же было случиться тому, что интервью с Леже, прочитанное в юности в Смоленске, оказалось — придется высказаться высокопарно — путеводной звездой ее жизни... Надя старалась облегчить жизнь старому художнику, купила дом за городом, чтобы Леже мог выезжать туда для отдыха после тяжелого трудового дня. Она стремилась создать дома как можно больше уюта и тепла.

Три с половиной года она была женой и другом великого мастера. В 1955 году Фернан Леже умер, оставив все наследство жене. Надя вернулась к Жоржу Бокье, и они вдвоем, два ученика и одновременно муж и жена, стали думать о том, как увековечить память своего учителя. За месяц до смерти Леже купил в Бьоте — маленьком городишке на юге Франции в нескольких километрах от берега Средиземного моря — небольшой дом. Надя решила, что именно здесь будет воздвигнут музей Фернана Леже. Худож-

Надя и Фернан Леже

В мастерской

ник оставил после себя огромное количество бесценных работ: картин, скульптур, барельефов, эскизов. Кое-что продали за немалые деньги и принялись за строительство здания.

В мае 1960-го состоялось торжественное открытие музея Фернана Леже под почетным председательством Жоржа Брака, Пабло Пикассо и Марка Шагала.

В этом светлом огромном здании монументальные работы Леже выглядят нарядно и празднично. Они могут кому-то нравиться, кому-то не нравиться, но то, что они оптимистичны, излучают радость, — несомненно. Музей стал пользоваться популярностью. В 1967 году Надя Леже и Жорж Бокье передали музей со всеми работами и землю, на которой находится здание, в дар французскому народу...

ОЛЬГА ХОХЛОВА И ПИКАССО

Начало следующей нашей истории относится к 1917 году, когда в Париже гастролировал с огромным триумфом Дягилевский балет, «Русские сезоны в Париже». Молодой художник Пабло Пикассо, будучи человеком невероятно одаренным, быстро и легко сходился с талантливыми людьми любых профессий, любых национальностей. Так он подружился, в частности, с Дягилевым и со Стравинским. Но надо сказать, что помимо чисто творческого, здесь у Пабло Пикассо был еще и личный интерес. Ему очень нравилась молоденькая красивая танцовщица Ольга Хохлова. Она была, пожалуй, самая юная солистка, и ее очарование сразило художника наповал. Балет отправился на гастроли в Италию. И Пабло отправился вместе с балетом. Предлогом послужило то, что ему надо было писать декорации для следующей постановки Дягилева под названием «Парад».

Пикассо следовал за труппой в Неаполь, во Флоренцию. Кстати, в письмах из Италии он ни разу себя не выдал, ни разу не проговорился, что у него еще есть и любовная тайна. Он писал о том, как идет работа над балетом, о том, что здесь 60 русских балерин, и все они очаровательные.

Потом балет вернулся в Париж, состоялась премьера «Парада». Дягилевская труппа вместе с Пикассо отправилась в Испанию. Там «Парад» провалился, но для Пабло это уже не имело значения — он добился взаимности. Ольга тоже полюбила Пикассо, и было решено, что они поженятся. Русская православная церковь в Париже на улице Дарю за 134 года своего существования повидала многое. Кого здесь только не крестили, кого не венчали, кого не отпевали! В этой церкви 12 июля 1918 года состоялся обряд бракосочетания Ольги Хохловой и Пабло Пикассо. Служба была православная, хотя Пабло Пикассо — испанец и, следовательно, католик. Известно, что король Наварры Генрих IV был протестантом. Но в свое время, ради короны короля Франции, поменял религию, сказав свое знаменитое: «Париж стоит мессы». Очевидно, и Пикассо для себя решил, что Ольга стоит того, чтобы венчаться с ней не по католическому, а по православному обряду. Свидетелями со стороны жениха были Жан Кокто, Марк Жакоб и Вильгельм Аполлинарий Костровицкий, известный более как Гийом Аполлинер, великий поэт Франции и Польши.

Свадьба была пышная, роскошная, и после нее молодые уехали в свадебное путешествие.

Потом супруги Пикассо возвращаются в Париж и снимают двухэтажную квартиру на шестом и седьмом этажах шикарного дома. На одном этаже располагается мастерская художника, а другой этаж отдается молодой русской жене Ольге. Но сразу же в двух квартирах намечаются два разных стиля жизни,

Ольга Хохлова

«две разные планеты», как сказал об этом Марк Шагал.

Ольга — дочь царского полковника. Она хочет жить красиво, для нее это естественно. Ее квартира заполнена изящной мебелью, безделушками, к ней приходят элегантные гости. Ольга хотела создать своего рода «башню из слоновой кости». В России, на родине, в это время начался красный террор. Расстреляли царскую семью, разгорелась гражданская война. Белые и красные уничтожают друг друга. Возврат на родину исключен. Желание Ольги окружить себя мещанско-буржуазным красивым бытом вполне понятно.

А у Пикассо идет совсем другая жизнь, он работает, старается упрочить свое положение. При этом художник гордится красотой жены, любит появляться с ней на приемах. Ему нравится, что после годов бедности он обрел наконец материальное благополучие. Его творчество постепенно тоже меняется, он начинает работать в более классической манере, о чем говорят сделанные им портреты Ольги. В 1921 году рождается сын Поль. Пикассо обожал сына. Родители ревновали друг друга к ребенку и ссорились из-за этого.

Любимой темой художника в тот период стало материнство. Моделями служат Ольга и Поль.

Ольга была счастлива. Она мечтала, чтобы Пабло стал модным художником, принимал заказы и был любим министрами, правителями, торговцами живописью.

Но художнику-новатору такое существование было противопоказано, оно быстро ему приелось. Постепенно возникла трещина, которая становилась все больше и больше. Однако главной причиной ох-

Ольга Пикассо с сыном. Рисунок Пикассо

лаждения художника к своей русской жене послужило то, что Пикассо встретил новую музу, новую любовь, Мари Терез Вольтер. Ольга почувствовала: Пикассо стал менять художественный стиль. Кстати, это было присуще ему и потом: всякий раз, когда у него появлялась новая женщина, Пабло менял творческую манеру. Вот и теперь он перестал рисовать балерин, стал тяготиться знакомствами, которые навязала ему жена, сторониться русских эмигрантов. Ольга была в отчаянии. Она не знала, как предотвратить надвигающийся разрыв...

Когда Пикассо понимал, что любовь кончилась, он становился очень жестоким и непримиримым ко всему, что было связано с предыдущей любовью.

Ольга ударилась в религию, приходила в православную церковь, молилась. А Пикассо, подружившись с Элюаром и сблизившись с Арагоном, увлекся коммунистическим учением.

Противоположные идейные пристрастия усугубили и без того плохие отношения между супругами. Окончательный разрыв произошел в 1935 году. Они разъехались и стали жить отдельно. Пикассо мучился, так как скучал по сыну. Он хотел развода, а Ольга развода не давала. Может, это было связано с наследственными делами, может, имели значение религиозные или идейные мотивы. Сейчас трудно разобраться в этом...

Последние годы жизни Ольги были очень печальными. Из всеми уважаемой женщины, о которой писала светская хроника, она стала никем и ничем. Она ходила по набережной Ниццы, несчастная, одинокая. И нашла свое упокоение на кладбище в Каннах...

Казалось бы, всё об Ольге Хохловой-Пикассо,

Пабло Пикассо с сыном Полем

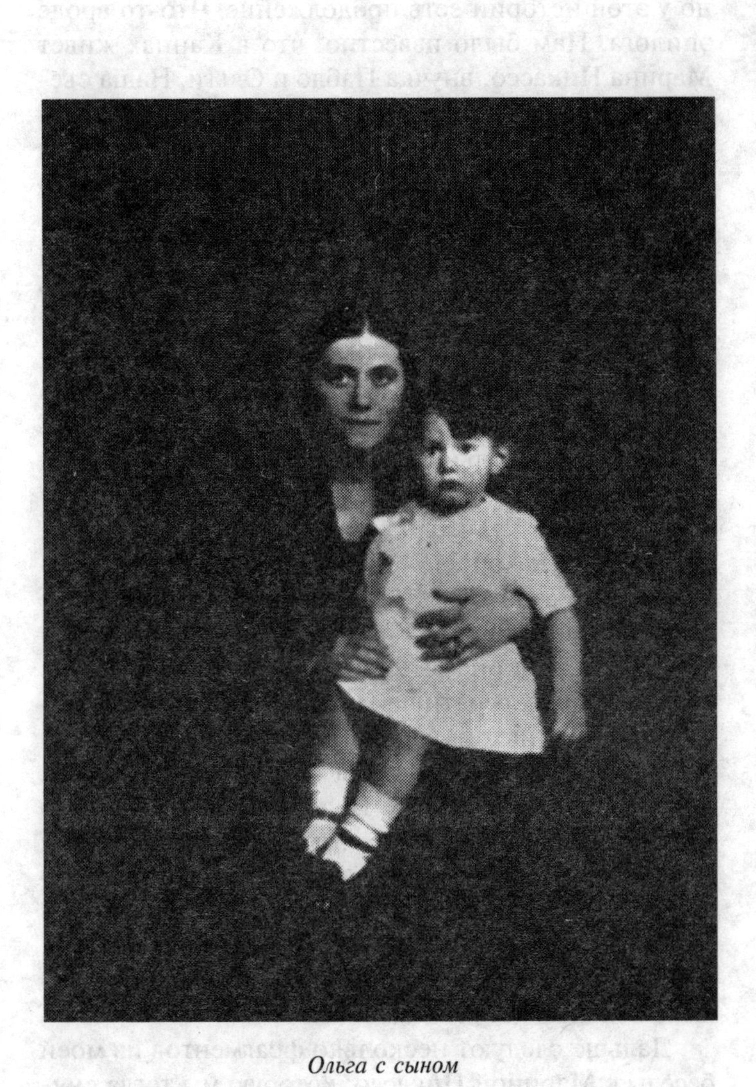

Ольга с сыном

но у этой истории есть продолжение. Что-то вроде эпилога. Нам было известно, что в Каннах живет Марина Пикассо, внучка Пабло и Ольги. Наша съемочная группа — ребята не ленивые — отправилась на юг Франции. И вот мы в Каннах перед виллой «Калифорния», где великий маэстро работал около десяти лет. Со мной беседовала хозяйка виллы — приветливая, славная женщина с умными глазами, доброй улыбкой и дивной фигурой. Лет ей было около сорока. Очень привлекательная и с чувством собственного достоинства. Одета элегантно, но скромно. Это и была Марина Пикассо. В соседней комнате играли пятеро детей разного возраста и национальностей. Замечательные картины, вазы, скульптуры украшали жилье. У Марины, дочки Поля, детство было трудное. Родители разошлись, причем, видно, расходились нехорошо. Марина была так травмирована этим разводом, что, несмотря на прекрасные внешние данные, не захотела выходить замуж. У нее двое детей, как она выразилась, «вне брака» и еще трое приемных ребятишек из Вьетнама! Они все носят ее фамилию, называют Марину мамой, и наследство всем пятерым детям, родным и приемным, поделено в равных долях. Надо сказать, что детство Марины было нелегким не только из-за родителей. Дедушка — великий и совсем-совсем не бедный художник — отказался оплачивать ее школьную учебу. На дальнейшее образование он средств тоже не дал, и она стала работать сиделкой при неизлечимых, тяжело больных детях-инвалидах.

Дальше следуют несколько фрагментов из моей беседы с Мариной Пикассо, которую мы тогда сняли на пленку.

Марина Пикассо с детьми

Эльдар Рязанов. Вы помните свою бабушку, балерину Ольгу Хохлову?

Марина Пикассо. Я часто вспоминаю о бабушке, хотя, когда она умерла, мне было шесть лет. Я очень ее любила и до сих пор постоянно думаю о ней. Она была прекрасной танцовщицей, но, к сожалению, не смогла полностью выразить себя. Потому что была вынуждена жить в тени гения. Она была без сомнения замечательной женщиной, и я души в ней не чаяла. Дед обожал ее и восхищался ею, но отношения быстро испортились, потому что мой дед не был верным мужем. А бабушка очень от этого страдала, и всё кончилось разрывом.

Надо сказать, она вдохновила его на прекрасные картины, в частности, на ее портреты, один из которых находится на этой вилле. Я помню, как бабушка приходила сюда нас навещать. Потом она заболела, и дальше уже идут грустные воспоминания. Мы с братом ходили к ней в больницу. Бабушку разбил паралич, и она очень страдала оттого, что больше не будет танцевать. Она утратила свою былую красоту и не хотела никому показываться в таком виде.

Мой отец под влиянием своего знаменитого отца сделал выбор. Он, по сути, отказался от матери. И вообще отошел от всего русского — чтобы угодить, доставить удовольствие отцу. И даже, когда бабушка заболела, продолжал игнорировать ее и никогда не навещал, очевидно, боясь гнева Пикассо. Она умерла очень одинокой.

В последние годы ее навещали только мы с братом. Каждый раз она нам была так рада...

Эльдар Рязанов. Ваша бабушка похоронена здесь, в Каннах. Бываете ли вы на ее могиле, ухаживаете ли за ней?

Марина Пикассо. Да, это единственная возможность общаться с ней, да и мой брат похоронен рядом, он очень любил ее в детстве.

Эльдар Рязанов. Я читал, что после смерти Пикассо последовала целая серия трагических событий. Чем это можно объяснить? Это случайное совпадение или над семьей висит какой-то рок?

Марина Пикассо. К сожалению, это не случайность. Смерть моего деда повлекла за собой цепь роковых происшествий для нашей семьи. Мой брат покончил с собой сразу после его смерти. Он хотел проститься с умершим дедом, но вдова Жаклин не пустила его. И брат покончил самоубийством. Мой отец умер потому, что очень тяжело переживал смерть своего отца и гибель сына. Потом повесилась Мари Терез Вольтер, бывшая возлюбленная Пикассо. Застрелилась Жаклин, вдова. И вся эта цепь катастроф доказывает, что, хотя гений вызывает восхищение многих людей, восторг публики, быть близким к нему опасно.

Эльдар Рязанов. А почему умер ваш отец? Это было следствием тяжелой болезни или случилось внезапно, произошел психологический надлом?

Марина Пикассо. Я думаю, он был несчастен с самого детства, поскольку никогда не был *Полем Пикассо* — он всегда был сыном Пикассо.

Эльдар Рязанов. Что вы испытали, когда на вас свалилось такое огромное наследство?

Марина Пикассо. Когда я была ребенком, моя семья была небогата. После кончины деда я сразу стала миллиардершей. Получив наследство, я решила посвятить себя двум задачам. Первая — сохранить наследие моего деда и достойно представлять то, что он создал. Вторая — это гуманитарная деятельность, которая мне кажется главной. Я усыновила троих вьетнамских детей. Двое из них умирали от истощения. А у третьего ребенка порок сердца. Мои усилия направлены на Вьетнам. Я основала там деревню, в которой живут примерно триста двадцать детей. Мы попытались создать для них семейную обстановку. В каждом доме живут несколько детей и «мама», чтобы возник семейный уют, чтобы у ребят не было чувства сиротства. Кроме того, мы построили начальную школу и медицинский центр.

Некоторые из наших воспитанников учатся в университете, другие, менее интеллектуальные, обучаются ремеслу. Мы не бросаем наших воспитанников. Когда они уходят из деревни, мы платим им стипендию, чтобы они могли устроиться в жизни.

Эльдар Рязанов. Марина, в вас четверть русской крови. Про русских говорят, что они более меланхоличны, чем другие, что им свойственно чувство ностальгии, они глубокие натуры. Ощущаете ли вы в своем характере, в себе русские национальные черты?

Марина Пикассо. Вы знаете, я говорю это не для того, чтобы доставить вам удовольствие, но я себя чувствую во многом русской. И хотя я не склонна к самолюбованию, мне очень нравится эта сторона моей натуры. Я часто мысленно обращаюсь к моей бабушке, всегда помню о ней. Я в жизни очень сентиментальна и, как мне кажется, я славянка больше, чем на четверть...

* * *

Русские музы были очень разными. Многих из них объединяло то, что позади них была опаленная огнем Европа, жестокая русская революция, голодная Россия, красный террор, переходящий в сталинский. У них не было пути к отступлению, не было возможности вернуться. Некоторым из моих героинь присущи черты авантюризма, и не надо их за это осуждать. У некоторых несколько размыты моральные, нравственные критерии. Они часто бывали поставлены жизнью в безвыходные ситуации. Они все такие, какие есть...

Могу сказать только одно — они были личностями, богатыми и сильными натурами. Большинство из них сделали все для того, чтобы память об их избранниках осталась навечно. Душа у наших российских женщин великая, и французские гении не ошиблись в выборе любимых. Итак, следующая новелла об Эльзе Триоле.

НАШИ КНИГИ ПРИДУТ НАМ НА ПОМОЩЬ

«Родная моя Лиличка, дом куплен! Последнее время мы ничем другим не занимались, рыскали по окрестностям Парижа, не вылезали из машины, изнервничались до последней степени...

Отрицательная сторона дела: мы влезли в долги по горло. Положительная: Арагоша ожил, счастлив безмерно, горд, с утра до вечера мечтает и молит меня, чтобы я раз в жизни без экономии покупала для моего «кабинета» все, что мне нравится. Надеется, что красота письменного стола заставит меня снова писать...

Это мельница... В полном порядке, с необходимой мебелью. Четыре с половиной гектара земли, леса. Речка уходит под мельницу. Колесо снято, под галереей-комнатой стена с круглым окном, за которым льется водопадом вода — фантастика!

Вечером освещается, а когда надоедает, можно остановить, открыв шлюзы и отведя воду в сторону наружного водопада. Жилые комнаты на втором этаже...

Место редкостное по невероятности, красоте. Парк — просто лесной участок...»

Это отрывок из письма Эльзы Триоле в Москву сестре Лиле Брик от 25 июля 1951 года. Прошло сорок три года, и осенью 1994 года здесь, на мельнице в Сент-Арну-ан-Ивелин, состоялось торжественное открытие музея и литературного центра Луи Арагона и Эльзы Триоле. Такова была их воля, изложенная в завещании. Открытие музея случилось через двадцать четыре года после смерти Эльзы и двенадцать лет спустя после кончины Арагона, случилось, несмотря на смены правительств с разными идеологическими установками, несмотря на отсутствие средств, несмотря на отсутствие детей, которые могли бы быть «толкачами» в этом деле. На церемонию открытия приехало около тысячи парижан — как говорится, цвет интеллигенции: писатели, журналисты, члены правительства, художники, композиторы, кинематографисты, политические деятели. На лужайках поставили палатки со столами для угощения. Ухоженный парк, с мостиками через маленькую речку — он же большой ручей — и с клумбами ярких осенних цветов, был полон людьми. Многие были знакомы друг с другом. Наша съемочная группа — мы оказались единственными представителями России — работала в тот период над телевизионной передачей об Эльзе Триоле. Почти все интервью были взяты именно здесь и именно в этот день. Я вел свой рассказ, снуя в толпе, бродя по парку и обращаясь иногда с вопросами к кому-либо из присутствующих на празднике...

...Эля Каган, дочка адвоката, специалиста по еврейским делам и авторским правам, родная младшая сестра Лили Юрьевны Брик, родилась в 1896 году. Семья была интеллигентная; дома музицирова-

Эля Каган, младшая сестра Лили

ли, обсуждали новые книги, посещали театры. Мать прекрасно играла на рояле. Дом гостеприимный, открытый. Девочки росли в нежной, тепличной атмосфере.

Старшая сестра была очаровательна, за ней ухаживали, ей поклонялись, ее как-то сразу заприметили мужчины. Все это происходило на глазах Эли, которая была еще девчонкой. В таких случаях на детей не очень-то обращают внимание, а они все замечают и впитывают.

Кстати, имя Эльза появилось позже, она сама стала себя так называть после отъезда за границу.

Вероятно, пример старшей сестры был заразителен. И младшая тоже не осталась равнодушной к мужскому полу. Несмотря на возникавшее иногда чувство соперничества, сестры нежно и горячо любили друг друга. Всю жизнь они переписывались, когда были в разлуке, поддерживали одна другую не только морально, но и материально: в трудные послевоенные годы в Париж отправлялись продукты, а в Москву — разные шмотки. Собранная В.В. Катаняном и изданная только что переписка сестер необыкновенно интересна и поучительна. Она в первую очередь рассказывает о сестринской любви и нежности.

То, что Лиля стала спутницей, музой, советчицей великого русского поэта Владимира Маяковского, сильно повлияло на Эльзу. Надо сказать, что Маяковского ввела в родной дом именно Эльза. Она была влюблена в него по уши, у них был роман. Думается, от этой юношеской любви она не могла избавиться до самой смерти. Но когда Маяковский увидел впервые Лилю, то забыл о младшей сестренке, обо всем. Началась ураганная любовь. Он, как писала потом Лиля Юрьевна, «напал на нее»... Так случилось, что старшая сестра стала счастливой соперницей младшей. Что испытывала в это время Эльза? По ее автобиографической повести «Земляничка» можно восстановить настроение шестнадцатилетней девушки. Рефрен книги: «Никто меня не любит»...

«Я очень повзрослела за это лето. Ушел мой шестнадцатый год — говорят, самый лучший. Смотрю я, у всех есть пара, только у меня ее нет. Я никому не нужна и даже в большой компании всегда бываю одна!!!»

На самом деле это не так. Ухажеров немало, но они не заинтересовывают девушку.

Когда на одном из вечеров у Бриков в 1916 году Василий Каменский, молодой поэт, сделал предложение Эльзе, она отказала, заявив: «Кто же в двадцать лет выходит замуж?» Не стану пересказывать события революционного 1917 года. Пал царизм, к власти пришли «крутые». Темная муть поднялась из глубин народа. Начинался хаос, террор, расправы. В студеную зиму 1918 года Эльза знакомится с сотрудником французской миссии Андре Триоле. Аполитичный, богатый, элегантно одетый, любитель женщин и лошадей, он быстро понял, что комфортно жить в охваченной ненавистью и огнем стране не удастся. И здесь ему подворачивается молодая хорошенькая барышня. Он делает ей предложение — выйти за него замуж и уехать. Эльза хочет вырваться из хаоса, крови, ужаса. Она отвечает согласием. Молодожены уехали из России, но не в Европу, а на далекий экзотический остров Таити, где некоторые старые люди еще помнили Поля Гогена.

Оттуда Эльза регулярно пишет в Россию и, в частности, одному из своих бывших ухажеров-отказников Виктору Шкловскому. Эти письма живо ри-

Эльза Триоле после замужества. Париж, 1925 год

суют пейзажи, нравы и жизнь тропического острова. Одно из ее писем Шкловский показал Алексею Максимовичу Горькому. Тот отметил, что автор обладает литературным стилем и наблюдательностью. И посоветовал, чтобы Эльза написала книгу.

Она еще раз прислала Шкловскому какие-то свои наброски, и Горький еще раз передал ей свои советы, как следует писать. В общем, Алексей Максимович в какой-то степени стал ее заочным учителем.

Ее первая книга-роман «На Таити» была издана в России в 20-х годах.

Однако семейная жизнь не заладилась. Муж относится прохладно к молодой жене, не интересуется ничем, кроме скачек и лошадей. Он заводит романы

Эльза и Андре Триоле на острове Таити

налево и направо. И после года жизни с ним Эльза разрывает этот брак. Андре Триоле, сын богатых родителей, оказывается добрым человеком и отваливает бывшей жене приличную сумму, чтобы ей было некоторое время на что жить. В Советскую Россию, где полыхает Гражданская война, Эльза Триоле возвращаться не намерена. Она перебирается в Лондон, под мамино крылышко — Елена Юрьевна Каган работала тогда в советской торговой фирме «Аркос». Потом Эльза оседает в Париже. Она поселилась в маленькой гостинице «Истрия», которая сохранилась до сих пор и мимо которой наша телевизионная группа не прошла. Кое-что из жизни Триоле я рассказывал около этого отеля, расположенного на улице Кампань-Премьер. Гостиница была увешана множеством мемориальных досок, напоминающих о великих постояльцах. Среди них, разумеется, был упомянут и Маяковский. Здесь же всегда останавливалась и Лиля Брик, когда наведывалась в Париж. Эльза Триоле в Париже была всегда для Маяковского своеобразной «палочкой-выручалочкой». Когда он приезжал, то не отходил от нее. Она была и гидом, и переводчицей, и другом, и помощником. И Эльза тоже при нем как-то расцветала. Думайте по этому поводу что хотите...

Париж 20-х годов был наводнен русскими. В кино, живописи, в литературе, балете мелькало множество русских имен. Выходцы из России вели богемный образ жизни, ютились в мансардах, без денег. Роль монпарнасских кафе в судьбе русской эмиграции огромна. Здесь встречались писатели, художники, поэты, обсуждали новости, ждали падения большевистского режима, работали. Возникали жаркие дискуссии, споры. Кстати, Илье Эренбургу направ-

Портрет Эльзы Триоле работы Анри Матисса.
Ноябрь 1946 г.

ляли письма, скажем, с таким адресом: «Париж, кафе «Куполь», самому непричесанному господину». И письма, как ни парадоксально, доходили. Несколько кафе были расположены близко друг от друга: кафе «Ротонда», кафе «Селект», кафе «Куполь» и кафе «Клозери де Лила». Здесь проводили много, очень много времени.

Процитирую Илью Эренбурга, который, сидя в кафе, писал свои книги: «Внешне «Ротонда» выглядела достаточно живописно: и смесь племен, и голод, и споры, и отверженность (признание современников пришло, как всегда, с опозданием)... Поражала прежде всего пестрота типов, языков — не то павильон международной выставки, не то черновая репетиция предстоящих в будущем конгрессов мира»... Вот только несколько фамилий из длиннющего списка, который приводит Эренбург: Аполлинер, Кокто, Леже, Вламинк, Пикассо, Модильяни, Диего Ривера, Шагал, Сутин, Ларионов, Гончарова, Архипенко, Цадкин...

Эльза влилась в этот мир, но она не удовлетворена той жизнью, которую ведет. В «Незваных гостях» она пишет о «...несчастьи людей, которые живут не там, где они родились... не иметь корней... быть срезанным растением... это всегда заведомо подозрительно, как татуировка на теле человека, у которого неприятности с полицией».

Случайные любовные связи, которые, вероятно, были у нее, как у любой молодой женщины, не удовлетворяли ее честолюбия. Книжки ее, изданные в Москве, большого успеха не имели. И тут наконец происходит событие, которое предопределило всю ее дальнейшую жизнь: в кафе «Куполь» она увидела Луи Арагона, молодого, красивого, элегантного.

Арагон в это время был опален неудачной любовью. У него был роман с Нанси Кюнар, дочерью богатейшего человека. Арагон ездил за ней по всему свету. Нанси сорила деньгами, прожигала жизнь, кутила. И в конечном итоге предпочла Арагону какого-то негритянского джазиста. Именно в этот момент он встречается с Эльзой. Вскоре начнется новая жизнь, как для нее, так и для него. Эльза навела о нем справки и узнала, что он — незаконный сын французского аристократа и уже довольно известный поэт-сюрреалист. В следующий раз она увидела его в кафе «Клозери де Лила». И здесь произошло знакомство.

Добросовестность нашей съемочной группы не имеет границ. Разумеется, рассказ об их знакомстве велся из кафе «Клозери де Лила». За каким из этих столиков произошло судьбоносное событие, к сожалению, мы сейчас не знаем. Но вот как лихо описывает эту встречу французский журналист и писатель Гонзаго де Сен-Бри, один из авторов книги о русских музах художников и писателей Франции:

«Эльза Триоле в Париже. В ее жизни нет мужчины. У нее нет денег, у нее нет друзей. Она одинока и живет в маленькой комнатке в гостинице «Истрия» на улице Кампань-Премьер. Она в отчаянии, она только что развелась с французом Триоле (на самом деле семь лет назад. — *Э.Р.*), она хочет покончить с собой. Однажды она идет в «Куполь». И там видит великолепного мужчину: шляпа заломлена назад, трость с драгоценным набалдашником, плащ, накинутый на плечи. Она спрашивает: «Кто это такой?» Ей говорят: «Это Арагон — поэт». Два дня спустя она снова встречает его в «Клозери де Лила». Тогда она решается спросить: «С кем он?» Ей отвечают:

Так выглядел к моменту встречи с Эльзой молодой французский поэт Луи Арагон

«Вон с той хорошенькой длинноволосой брюнеткой». (Очевидно, брюнетка сидит в стороне, не рядом с Арагоном. — *Э.Р.*) Она садится напротив этой девушки и говорит: «Ну что? Ты спишь с Арагоном?» Несколько удивленная (еще бы! — *Э.Р.*) девушка отвечает: «Да, он хороший любовник. (О, откровенность француженок! — *Э.Р.*) Но главное, с ним я узнаю много нового. Он интереснейший человек». Эльза спрашивает ее: «У тебя есть другие мужчины в Париже?» Та отвечает: «Париж — прекрасный город, тут полно мужчин». Тогда Эльза пристально смотрит своими пронзительными глазами на девушку и говорит: «Для тебя он ничего не значит. Для меня он все! Уходи!» (Здорово, знай наших! — *Э.Р.*) Она подходит к Арагону и крепко целует его в губы. Это поцелуй навеки!»

Сия крутая версия была рассказана с убежденностью и пафосом очевидца...

Перенесемся снова на мельницу в Сент-Арнуан-Ивелин в 1994 год и побеседуем с писательницей Лили Марку, которая посвятила три года жизни изучению биографии Эльзы Триоле и только что выпустила о ней книгу. Мы уединились в кабинете Эльзы, ибо на лужайке шумела большая толпа гостей. Праздник открытия музея продолжается.

Лили Марку. «Конечно, она не стала сразу его целовать. Вы знаете, они сами всегда рассказывали об этой встрече с волнением. И даже сами создали некую легенду о том, как это случилось. Не думаю, что тогда они воспринимали эту встречу как нечто важное и окончательное.

Я не считаю Эльзу авантюристкой. Эта женщина оторвалась от родины и еще не прижилась во Франции. У нее был неудачный первый брак. Она всегда чувствовала себя несчастной, бедной и одинокой. Хотя очень много мужчин были в нее влюблены и просили ее руки. Роман Якобсон, Виктор Шкловский, может быть, и другие. Я знала от дочери лучшей подруги Эльзы, которая живет в Москве, что Эльза всегда говорила: «Я хочу выйти замуж за француза, поэта и красавца». Таковы были ее девичьи мечты.

Арагон был поэтом, правда, он не был еще знаменит, но уже написал несколько значительных произведений. Он был очень красив и был французом. Конечно, человеком, которого она любила больше всех, был Маяковский. И, потеряв его, она эмигрировала. Я уверена, что она покинула родину, которую так любила, не из-за революции, а потому, что ее сестра отняла у нее Маяковского.

Она любила его до самой смерти. Что не мешало ей любить и Арагона. Но поскольку она потеряла Маяковского, ей никто не был нужен, кроме французского поэта-красавца. Такого же красивого, как Маяковский. Хотя Арагон и не был на него похож. Но был по-своему очень красив».

В вечер знакомства 6 ноября 1928 года, после ужина, галантный Арагон проводил Эльзу в отель «Истрия»... А наутро влюбленные Эльза и Луи, спускаясь к завтраку, столкнулись лицом к лицу с Маяковским. Он только приехал и остановился, как обычно, в знакомой гостинице. Так произошла первая встреча двух великих поэтов России и Франции. Я уже упомянул о мемориальных досках около входа в «Истрию». На одной из них выбиты строчки из поэмы Арагона:

«Все изменилось для меня, когда ты появилась в гостинице «Истрия» на улице Кампань-Премьер.

Это было в 28-м году в полуденный час. С тех пор для меня не существует Париж без Эльзы...»

Лили Марку. Я думаю, что присутствие Маяковского в Париже и то, что он был «зятем» Эльзы, сильно повлияло на начало их любви. Это завораживало Арагона. Сейчас забыли, что представлял из себя Маяковский для поэтов-сюрреалистов во Франции.

Кроме того, Арагон в молодости вел довольно беспорядочную жизнь: богема, вино, много женщин. А Эльза прекрасно представляла, что такое работа и дисциплина. Она ввела эти понятия в жизнь их семьи. Это оказалось очень трудно, особенно вначале. Они часто были на грани развода.

Лили Марку. «Я всегда акцентирую внимание на огромной роли Эльзы, которая смогла упорядочить жизнь этого гения. И в интеллектуальном, и в духовном плане. Эльза просто спасла его. Их друзья говорили мне, что без нее он бы покончил жизнь самоубийством. Как и многие другие сюрреалисты.

Арагон не сразу начал писать любовную лирику, посвященную жене. Роман начался в двадцать восьмом году, а писать любовные стихи, посвященные Эльзе, он начал в сороковом. Во время войны родилась поэма «Глаза Эльзы». Это нетипично для поэта. Обычно стихи возникают в начале, на старте любви.

Ты в ноябре пришла и вдруг исчезла боль, —

писал влюбленный стихотворец.

А в поэме «Неоконченный роман», которая написана, кстати, в пятьдесят шестом году, то есть они уже прожили двадцать восемь лет вместе и Эльзе уже шестьдесят, вдруг пишутся такие строчки:

То, что Маяковский был «зятем» Эльзы, сильно повлияло на Арагона. Сейчас уже забыто, что значил в то время Маяковский для французских сюрреалистов

Ты подняла меня, как камешек на пляже,
Бессмысленный предмет, к чему — никто не скажет.
Как водоросль на морском прибое,
Что, изломав, земле вернуло море,
Как за окном туман, что просит о приюте,
Как беспорядок в утренней каюте,
Объедки после пира в час рассвета,
С подножки пассажир, что без билета.
Ручей, что с поля зря увел плохой хозяин,
Как звери в свете фар, ударившем в глаза им,
Как сторожа ночные утром хмурым,
Как бесконечный сон в тяжелом мраке тюрем,
Смятенье птицы, бьющейся о стены,
След от кольца на пальце в день измены...

Лили Марку. Эльза и Арагон жили очень бедно в первые годы своей жизни. Те несколько произведений Арагона, которые были опубликованы, не могли принести много денег. Чтобы несколько облегчить положение семьи, Эльза изготовляла свои знаменитые бусы. Теперь их можно увидеть в некоторых музеях. Эти бусы пользовались успехом. Архитектор по образованию, Эльза прекрасно рисовала и обладала тонким вкусом.

Самое забавное, что продавать бусы ходил Арагон, к тому времени уже довольно известный писатель. Рано утром он выходил из дома и нес эти бусы оптовикам в бутики высокой моды, где все его презирали и называли «Триоле».

Эльдар Рязанов. Лили, а как вы оцениваете упреки и обвинения, что именно Эльза втянула Арагона в коммунистическое движение, втащила его в компартию, что благодаря ей он стал признанным поэтом французских коммунистов? А сама при этом оставалась в тени и в компартию не вступила...

Лили Марку. Арагон стал коммунистом в двадцать седьмом, то есть за год до знакомства с Эльзой. Но тогда это еще не стало его окончательным выбором. Он целиком посвящает себя партии с тридцать второго года, когда выходит из группы сюрреалистов и уезжает на год в Москву, чтобы работать в Коминтерне.

Арагон впервые приехал в Россию уже после самоубийства Маяковского и стремился поддержать Лилю в ее горе. Он был незаконнорожденным, а тут попал в русскую семью. Вы представляете, что это для него значило? В этом кругу была особая атмосфера. Для друзей Лили и ее тогдашнего мужа Виталия Примакова революция являлась смыслом жизни.

Ведь и сам Маяковский говорил: «Это моя революция!» Революционная атмосфера захватила Арагона, и он окончательно примкнул к коммунистам.

Эльдар Рязанов. А как Арагон относился к Эльзе как к французской писательнице? Высоко ли он ставил ее произведения? Помогал ли ей, правил ли рукописи, подсказывал ли темы? Или она была совершенно самостоятельна?

Лили Марку. Эльза посвятила совершенствованию своего французского литературного языка десять лет. Арагон даже не знал, что его жена пытается писать по-французски. Она сохранила полную тайну. Когда Эльза показала ему рукопись своей первой книги на французском, Арагон был восхищен.

Книга ему действительно очень понравилась. Известно, какую ревность испытывают друг к другу супруги-писатели. Вечные споры о том, кто и когда будет творить. Ведь невозможно писать одновременно. Арагон всегда был выше этого, наоборот, он всячески поощрял Эльзу, всегда внимательно читал ее рукописи, иногда даже правил их. Он всегда держал руку на пульсе ее творчества.

Первая ее книга на французском, «Добрый вечер, Тереза», — сборник рассказов. Сначала Эльза не решалась взяться за роман. Затем она написала свои воспоминания о Маяковском. Ее отношение к этому произведению было очень трогательным, она неоднократно подчеркивала, что это не просто очередная книга. Публикация воспоминаний имела для нее огромное значение. И личное в том числе...

В 1939 году началась война. Немецкие войска вторглись во Францию. Арагона на следующий же день призвали в армию. Он сразу попросился на фронт и попал в танковую дивизию. За Эльзой следили шпики, в их квартире проводились обыски. Арагон отступал вместе с дивизией, через Дюнкерк попал в Англию, потом через Брест вернулся на французский берег.

В конце июня 1940 года Эльза и Арагон буквально чудом нашли друг друга в так называемой Zone libre (свободной зоне). То есть в той части Франции, которая не была оккупирована фашистами.

Эльза в письме Лиле Брик пишет (уже после войны): «Жили мы тогда еще легально, Арагошу было неловко сажать, т.к. с фронта он вернулся героем, весь в орденах, а героев тогда было мало...»

На нелегальное положение они перешли в ноябре 42-го, когда итальянские фашистские войска оккупировали Ниццу. Арагонов переправили через демаркационную линию. Тут их схватили немцы и посадили. Конечно, им очень повезло — немцы их не опознали: ведь Эльза — еврейка, а Арагон — коммунист. Смерть была рядом. Но Эльзу и Арагона продержали десять дней как бы для острастки. Потом выпустили. Движение Сопротивления подыскало им домик в деревне, откуда они два-три раза в месяц выезжали в Париж, Лион, в другие города. Арагон выпускал нелегальную газету «Les Etoiles» и основал подпольное издательство «Французская библиотека». Эльза помогала Арагону и написала несколько книг. Военное время стало для нее мощной писательской школой. Она выпустила сборник рассказов «Тысяча сожалений», роман «Конь белый» и повесть «Авиньонские любовники». В самом конце войны вышел еще один сборник новелл, озаглавленный: «За порчу сукна — штраф двести франков». Эта фраза, взятая из объявлений, висевших во французских бильярдных, служила паролем для соратников де Голля. Произнесенная по радио, она означала, что высадка союзников началась, и голлисты должны переходить к активным выступлениям. Вот что Эльза сообщала в письме сестре:

«Если б не писанье, я бы, кажется, руки на себя наложила, так временами бывало трудно и тяжело. Я очень пристрастилась к этому делу, оно заменяет мне друзей, молодость и много чего другого, чего не хватает в жизни... Арагоша стал совсем знаменитым, за эти годы вышло два романа и несколько томов стихов (легально и нелегально). Партизаны его чтут и любят, только его стихи и читают, публика своя и чужая принимает, как принимали Володю. Пишет он все лучше и лучше...»

Жили голодно, вылазки из деревни были опасными, но больше Арагоны в руки фашистам не попадались. Они вернулись в освобожденный Париж 25 сентября 1944 года. За годы, что их не было, дома, несколько обысков провели гестаповцы, да и фран-

3 июля 1945 года Эльза Триоле получила Гонкуровскую премию за книгу «За порчу сукна — штраф 200 франков». Это было безоговорочное признание ее как французской писательницы

цузская полиция тоже наведывалась регулярно. Дом был разгромлен, но они были счастливы, что кончается война, что они снова дома.

А 3 июля 1945 года Эльза получила Гонкуровскую премию за книгу «За порчу сукна — штраф двести франков». Это было полное безоговорочное признание ее как французской писательницы.

«Сегодня во всех без исключения газетах моя физиономия на первой странице и столько цветов, что ни встать, ни сесть...» — тоже из письма Лиле Юрьевне.

Началась мирная жизнь. Случались и поездки в Москву. Сестры наконец получили возможность видеться. Эльза живет активной литературной жизнью. Сочиняет прозу на французском, переводит с русского, участвует в написании сценария для постановки совместного фильма «Нормандия — Неман». Ее соавторами стали Константин Симонов и Шарль Спаак, режиссером фильма был Жан Древиль. Это сценарий о дружбе французских и советских летчиков во время войны, о французской эскадрилье, которая воевала против немцев на советской территории.

Лили Марку. На протяжении всей своей жизни Эльза стремилась как можно глубже познакомить Францию с Маяковским. Рассказать еще и еще раз о своей молодости, о своей дружбе с великим поэтом.

Эльдар Рязанов. Эльза очень много сделала как переводчик. Она переводила пьесы Чехова, составила антологию русской поэзии от Пушкина до Вознесенского. Это был титанический труд, ведь она очень многих поэтов привлекала к переводам.

Лили Марку. Да, она занималась переводами до самой смерти. Она стремилась донести до французов великую русскую культуру.

Эльдар Рязанов. А как они переживали разочарования в коммунистических идеях? После пятьдесят шестого года, когда были опубликованы материалы о злодеяниях Сталина? После вторжения советских войск в Чехословакию? Я знаю, что Эльза писала сестре: «...мы не были фальшивомонетчиками, но мы, сами того не подозревая, распространяли фальшивые монеты...»

Лили Марку. В пятьдесят втором году они в Москве. И там испытывают шок. Это дело врачей, антисемитизм. Тогда у Арагона случается первый сердечный приступ. Думаю, не из-за больного сердца, а потому что он понимает, что всю жизнь поддерживал страшный и лицемерный режим.

Тогда, с зимы пятьдесят второго — пятьдесят третьего года, он начинает критиковать советские порядки, еще до смерти Сталина. И все-таки до своей последней минуты Арагон остается коммунистом, членом Центрального Комитета Французской Компартии. В то же время, насколько позволяли силы, — ведь он был уже и стар, и болен, — он протестует против преследований Шостаковича, Солженицына, способствует освобождению кинорежиссера Параджанова (Параджанов был освобожден после визита Арагона к Брежневу. Писатель ради этого специально приехал в Москву. — Э.Р.), делает все, что в его силах.

Но ничто не отвратило его от выбора, сделанного в двадцать седьмом году. В то время как Эльза полностью отреклась от коммунизма. Впрочем, она никогда и не была членом компартии, ни советской, ни французской.

Когда Арагон резко осудил советское вторжение в Чехословакию, он понимал, что в Советском Сою-

Эльза Триоле и Луи Арагон на своей любимой мельнице в Сент-Арну-ан-Ивелин

зе у него заложники — Лиля Брик и ее муж Василий Абгарович Катанян. Но Лиля Брик написала Арагону, развязывая тем самым ему руки:

«Арагошенька! Прошу тебя совсем не думать о нас (мы уже старые), о том, что твои высказывания могут отразиться на нас.

Делай ВСЕ так, как ты считаешь нужным. Мы этому будем только рады.

Все мы достаточно долго были идиотами. Хватит!..»

(Письмо от 7 ноября 1968 года)

В 60-х годах в Советском Союзе началась по распоряжению главного идеолога страны Суслова травля Лили Брик. Маяковского «очищали» от еврейского окружения Бриков. В прессе появлялись лживые статьи, фальсифицированные фотографии (с фотографий вытравляли изображения Лили Брик), из сочинений Маяковского убирались посвящения Лиле Брик. Все напоминало известный исторический анекдот про Сталина и Крупскую. Сталин был недоволен самостоятельными высказываниями Надежды Константиновны Крупской и, встретив ее в коридоре, сказал: «Если вы и впредь будете вести себя так же, мы подыщем Ленину другую вдову!» И Крупская больше не открывала рта. Так и Маяковскому подыскали другую «музу» — Татьяну Яковлеву... Арагоны тяжело переживали гонения на близких, лишний раз убеждаясь в чудовищной сути советского строя...

Лили Марку. Эльзу и Арагона очень огорчало то, как поступали с памятью Лили. Вырезали ее из фотографий, убирали посвящения ей. Арагон говорил: «Я не хочу, чтобы такое произошло во Франции с

Эльзой». Он всегда думал, что умрет первым. Именно поэтому они создали совместное сорокадвухтомное (!) собрание сочинений. Во многом из-за того, что произошло в России с Лилей и Маяковским...

На празднике открытия музея присутствовала и Эдмонда Шарль Ру — легендарная женщина. (О ней надо рассказать особо.) Родилась она в 1923 году в аристократической семье. Ее предки — отец, дядя — были известными дипломатами. В 1939 году, когда началась война, девушке было 16 лет. Она ушла на фронт санитаркой. За военные подвиги награждена боевыми орденами Франции. Потом работала с прославленной Коко Шанель, демонстрировала на подиуме сногсшибательные туалеты (она была красива и обладала высокой стройной фигурой), трудилась корреспондентом знаменитого модного «ELLE», главным редактором журнала «Vogue», стала писательницей. Ее роман «Прощай, Палермо» удостоен высшей литературной награды Франции — Гонкуровской премии.

Она была последней любовью знаменитого французского генерала, крестника Максима Горького Зиновия Пешкова. И сейчас, в свои 70 лет, она красива и обаятельна. Она была близким другом Эльзы.

Эдмонда Шарль Ру. Необычное желание соединить в одном собрании сочинений произведения двух разных писателей лучше всего можно объяснить словами самой Эльзы, начертанными на ее могиле: «Наши книги не позволят разлучить нас после смерти».

Эльдар Рязанов. Я знаю, что вы были другом Эльзы и Арагона и сделали немало, чтобы открылся этот музей, этот литературный центр. Я поздравляю вас и всех почитателей литературы и поэзии с радостным событием, которое происходит сегодня.

Эдмонда Шарль Ру. Благодарю. В честь открытия этого музея во Франции провозглашены дни поэзии. Но я была не одинока во время осуществления этого проекта. Целая группа друзей Арагона начала работать над ним сразу после смерти поэта. Надо сказать, что мы встретили понимание со стороны правительства, будь то правые или левые, которые сменяли друг друга в течение всего этого времени.

Эльдар Рязанов. Арагон и Триоле не принадлежат какой-либо партии, они принадлежат Франции.

Эдмонда Шарль Ру. А Эльза, в первую очередь, принадлежит России. Она была русской и никогда об этом не забывала. Достаточно посмотреть на ее комнату, где на стенах развешаны русские гравюры, на огромное количество русских книг. Она была русской до глубины души.

Эльдар Рязанов. И при этом смогла стать французской писательницей?

Эдмонда Шарль Ру. Да, да, и это чудо! Она была совершенно самостоятельным писателем, Арагон ее не вытягивал. У нее была своя огромная аудитория. Я присутствовала при том, как Эльза подписывала свои книги многочисленным почитателям. Она входила в число наиболее издаваемых и продаваемых французских писателей.

Эльдар Рязанов. Скажите, на творчество Арагона Эльза как-то влияла своими сочинениями, своими мыслями, идеями?

Эдмонда Шарль Ру. Арагон всегда подчеркивал, что Эльза больше влияла на него, чем он на Эльзу. Мне кажется, их совместное сорокадвухтомное собрание сочинений говорит об их огромной творческой близости.

Арагон еще до войны выучил трудный русский

Писательский «тандем»

язык из ревности. Ему не нравилось, когда с его женой, его возлюбленной, говорили о чем-то, а он этого не понимал. Он выучил язык в два месяца. Это говорит и о силе его любви, и о ревнивом характере.

Эльза Триоле и Арагон были, конечно, уникальным явлением как супружеская пара. Они прошли рука об руку всю свою жизнь. Они были товарищами, друзьями, единомышленниками, литературными соратниками, просто любовниками, мужем и женой. Подобное сочетание встречается крайне редко. Всемирно известной стала поэма Арагона, написанная в 1942 году во время Сопротивления, которая называется «Глаза Эльзы». Здесь любовная лирика сплелась с патриотизмом, с борьбой против фашизма. Популярность этой поэмы была такова, что появились даже духи «Глаза Эльзы».

Если мир сметет кровавая гроза
И люди вновь зажгут костры в потемках синих,
Мне будет маяком сиять в морских пустынях
Твой, Эльза, дивный взор, твои, мой друг, глаза...

Лили Марку. Доказательством огромной роли Эльзы в жизни Арагона является то, что произошло после ее смерти в семидесятом году. Арагон вернулся к тому образу жизни, который он вел во времена своего увлечения сюрреализмом. Хотя, конечно, он никогда не забывал ни Эльзу, ни Лилю, ни Маяковского, ни Москву. Просто он был очень несчастлив после смерти жены и, чтобы отвлечься от этого горя, чтобы не покончить с собой, вернулся к образу жизни своей молодости.

И действительно, Арагон, если можно так выразиться, пустился во все тяжкие. Сдерживающего его бурную натуру человека не стало. Он устраивал за-

Вот отрывок из любовной поэмы Арагона «Глаза Эльзы»:

«...Мне будет маяком сиять в морских пустынях
Твой, Эльза, дивный взор, твои, мой друг, глаза...»

гулы, в его жизни появились мальчики, он к концу жизни сменил сексуальную ориентацию. Лишенный опоры в лице Эльзы, ужаснувшийся тому, что всю жизнь поддерживал «империю зла», он записал грустные признания в «Вальсе прощания» в 1972 году: «Конец конца моей жизни. И пусть не напевают мне, как была она великолепна, пусть не полощут меня в лохани моей легенды. Моя жизнь — страшная игра, в которой я проиграл. Я испортил ее с начала до конца».

Один из его «мальчиков» — Жан Риста, ставший его литературным секретарем, получил после смерти Арагона в наследство все: и квартиру на улице Баррен в Париже, и мельницу, и бесценные живописные полотна, и семейные драгоценности Эльзы, которые ей дарила Лиля, и авторские права на все произведения Триоле и Арагона. Я разыскал его на празднике в толпе и взял у него небольшое интервью.

Эльдар Рязанов. Жан, я вас поздравляю с сегодняшним праздником. Понимаю, что в том, что он состоялся, немалая доля вашего труда.

Жан Риста. Я познакомился с Эльзой и Арагоном в шестьдесят пятом году. И тесно общался с этой семьей в течение пяти-шести лет. Именно мне довелось присутствовать при последних минутах поэта в восемьдесят втором году. По сути, моя заслуга, которую вы так любезно отметили, состоит в том, что я исполнил последнюю волю покойного поэта. В своем завещании он оставил мне некоторые поручения, которые мне и удалось благополучно выполнить.

Эльдар Рязанов. А в наши дни Арагон и Триоле по-прежнему популярные писатели? Их во Франции читают так же, как раньше? Или все-таки есть спад?

Жан Риста. Отнюдь. Их читают как никогда. В последние годы интерес к творчеству обоих значительно повысился. Никогда во французской прессе, да и в европейской, не появлялось такое количество статей, посвященных Арагону и Эльзе. Мне это кажется совершенно естественным. Потому что они работали на будущее.

Эльдар Рязанов. Как вы относитесь к тому феномену, что женщина из России стала французской писательницей?

Жан Риста. Это действительно феномен. Я думаю, она стала французской писательницей из-за любви... Вы знаете, почему мы находимся сейчас на мельнице Сент-Арну-ан-Ивелин? Мне, как наследнику Эльзы и Арагона, нужно было выбрать, что сохранить — их квартиру в Париже на улице Варрен или мельницу. И я выбрал это место. Не только потому, что здесь находятся могилы обоих, но и потому, что Арагон купил это место специально, чтобы Эльза владела кусочком французской земли. И сегодня мы должны помнить, что собрались на земле Эльзы...

Эльза Триоле завещала похоронить себя в нескольких десятках метров от любимой мельницы, на холме, откуда открывается дивный вид. С холма видны далекие поля. Дом — бывшая мельница, речка, текущая по участку и проходящая через жилые апартаменты, мостики через речку и цветочные клумбы. Арагон выполнил просьбу жены. На похороны он пригласил опального тогда в Советском Союзе великого Мстислава Ростроповича, который играл печальные, страстные, траурные мелодии. Вскоре

Арагон воздвиг над могилой Эльзы памятник, на котором были начертаны ее имя и даты рождения и смерти: «1896—1970». А рядом, на том же камне, было выбито: «Луи Арагон. 1897—...» После смерти его должны были положить рядом с Эльзой. Он приготовил место и для себя. В 1982 году супруги вновь соединились...

Вечерело. Гости разъехались с праздника. Рабочие складывали палатки, где угощалась интеллигенция. Столы и стулья грузились в фургоны. Мусорщики подбирали с газонов бумажные стаканчики, бутылки, обрывки бумаги. Темнота надвигалась. Лишь в одном из окон мельницы горел свет. Мы молча стояли над могилой Эльзы и «Арагоши». Откуда-то издалека, будто по заказу, доносился еле слышный колокольный звон. Почему-то было очень грустно. Приходили мысли о тщете жизни, о бессмысленности суеты. А на могильной плите были высечены слова Эльзы:

«Мертвые беззащитны. Но если нас попытаются разлучить после смерти, наши книги придут к нам на помощь».

«Я ХОТЕЛА НАПИСАТЬ, ПОЧЕМУ ВОЛОДЯ УМЕР В СОРОК ДВА ГОДА...»

Небольшой французский городок Мезон-Лафит находится в тридцати минутах езды от Парижска. Так Владимир Высоцкий любил называть прекрасную столицу Франции. Я не случайно вспомнил о Владимире Семеновиче. Ибо в Мезон-Лафите живет Марина Влади, знаменитая актриса Франции.

Старшее поколение наших читателей помнит Марину Влади как замечательную «Колдунью» из франко-шведского фильма, поставленного по повести Куприна «Олеся». Тогда Марина Влади буквально ворвалась в нашу жизнь.

В те годы многие наши девушки стали копировать ее прически и ее пластику. Загадочная, с таинственным прищуром глаз блондинка действительно очень многих сводила с ума. А для людей среднего поколения Марина Влади — жена нашего великого поэта, певца, актера Владимира Высоцкого.

Сейчас у нее третий период, я бы его назвал «поствысоцкий». Об этом мы знаем значительно меньше. Я хочу, чтобы вы получили представление о Марине Влади не только как о жене Высоцкого, не только как о русской, живущей во Франции, а как о крупной актрисе французского кино. Вы, верно, знаете, что она русского происхождения. Что «Влади» — ее псевдоним сокращенное от Владимировны. Вообще-то она Марина Владимировна Полякова.

Мы звоним в калитку. Открывает сама Марина. Мы входим на лужайку перед красивым двухэтажным домом. Прыгают, гавкая, три дружелюбных пса. Здороваемся с хозяйкой, обмениваемся приветствиями. Я дарю Марине Владимировне видеокассеты с моей четырехсерийной телепередачей о Высоцком, которая вышла еще в январе 1988 года, свою книгу о нем, пластинки. Разговор начинается сразу же, мы перескакиваем с темы на тему, не закончив одно, переходим к другому. Я напоминаю ей о том, как для съемок в моей четырехсерийной телепередаче она специально прилетела из Парижа в Москву. Сначала я расскажу о той, нашей первой беседе...

Я думал тогда, что смогу снять ее в квартире, где она прожила с Володей последние пять лет. Но Марина наотрез отказалась даже войти в бывший свой дом, и мы снимали интервью с ней в том же самом здании, но в другой квартире, а именно в квартире кинорежиссера Александра Митты. Причем Марина очень беспокоилась, чтобы зрители не подумали, будто съемка произведена в ее бывшем жилище, и просила, чтобы из передачи было бы понятно: снимали в другом месте. Снимая эту четырехсерийную программу, я встречался тогда со многими друзьями и родными Высоцкого, окунулся в его окружение, и меня глубоко огорчил раздор, расстроили распри, раздирающие людей, которых Володя любил. Когда я думаю об этом, у меня перед глазами он сам. Как бы посмотрел на всю эту возню вокруг его имени, что бы подумал, как бы отнесся к этому, что близкие ему люди порочат друг друга, зачастую не выбирая выражений? И как только они не могут понять, что подобными действиями играют на руку обывателям, недругам Высоцкого, оскверняя тем самым память поэта...

Мой первый разговор с Мариной Влади произошел еще в марте 1986 года, когда я приезжал в Париж на премьеру «Жестокого романса». Тогда я еще не получил разрешения делать передачу о Высоцком, но хотел использовать свой приезд во Францию и снять там интервью с вдовой поэта, так сказать, впрок. Однако ничего не вышло: через полчаса после нашего телефонного разговора она должна была улетать в Белград на съемки. Но я договорился с Мариной, что она ради интервью специально прилетит в Москву.

И вот осенью 1986 года мы расположились в квартире, гостеприимно предоставленной нам Александром Миттой. Прошло шесть лет после ухода Володи. Сначала, дорогой читатель, я напомню о той нашей беседе...

Эльдар Рязанов. Марина, я рад вас видеть в Москве и признателен вам за то, что вы откликнулись на наше приглашение и прилетели специально для того, чтобы принять участие в передаче, посвященной Володе Высоцкому.

Марина Влади. Я думаю, это естественно...

Эльдар Рязанов. Скажите, пожалуйста, когда вы с ним познакомились, и как это произошло?

Марина Влади. Я была в театре на Таганке...

Эльдар Рязанов. Как зритель?

Марина Влади. Как зритель, да. Я смотрела «Пугачева», он играл Хлопушу. И мне про него говорили много, про актера, про певца.

Эльдар Рязанов. А песни какие-то вы уже слышали до этого?

Марина Влади. Я слышала одну песню про кроликов и алкоголиков, там женщина хочет быть похожей на Марину Влади. Сыновья мои, которые отдыхали в пионерском лагере, сказали: «Мама, кто-то про тебя песню написал». Ну, и я, конечно, эту песню услышала. Это смешно было очень. Потом меня повели в театр, и я обалдела от спектакля и от Володиной работы особенно. Это был 67-й год... Вот, и потом мы очень долго дружили, до 68-го года.

Эльдар Рязанов. Значит, вы после спектакля зашли к нему за кулисы?

Марина Влади. Мы пошли в Дом актера, как всегда делается после спектакля, и там он сидел тоже. Мы поговорили немножко. Потом он пел; мы поехали к друзьям, и он пел.

Эльдар Рязанов. Ну и какое первое впечатление было, простите, у вас от него?

Марина Влади. Самое, конечно, большое впечатление — это на сцене. В тот момент я понимала русский язык, но не все... И, конечно, остроту текстов я не могла так полностью понять. Первым делом, я была потрясена работой актера. Потому что в роли Хлопуши он выдавал всю свою силу и весь трагизм. Он трагик был. Потом мы сидели, он пел мне свои песни всю ночь, влюбился сразу, сказал мне это сразу. Это было смешно для меня, потому что, вы знаете, актрисе часто говорят такие слова. Мы потом долго дружили.

Эльдар Рязанов. И вы вернулись во Францию?

Сцена из спектакля «Пугачев» в театре на Таганке.
Владимир Высоцкий в роли Хлопуши

Марина Влади. Я была на кинофестивале, потом уехала, а через некоторое время вернулась на съемки к Юткевичу. И вот тут-то мы и стали встречаться часто. И так произошло то, что у всех происходит. Мы женились с ним позже, намного позже, мы жили вместе два года. Было очень сложно: где жить, как... Я все-таки француженка, актриса знаменитая. Но нам не очень мешали. И когда, в общем, мы решили жениться, все это произошло довольно спокойно. Не было никаких проблем.

Эльдар Рязанов. Это в Москве происходило?

Марина Влади. Да, да, да. Во Дворце бракосочетания. Ну, как все советские люди, пошли, женились, ушли. Было два свидетеля: Сева Абдулов и Макс Леон — это корреспондент «Юманите» в Москве. Да, это он, кстати, повел меня в театр первый раз.

Эльдар Рязанов. Понятно. Это именно ему, значит, мы всем обязаны.

Марина Влади. В каком-то смысле, да. Но я думаю, что я бы встретила Володю все равно.

Эльдар Рязанов. То есть вы считаете, что раз на роду написано, то пересечение должно было бы произойти?

Марина Влади. Я ничего не считаю, я совершенно неверующая, у меня нет ощущения, что судьба есть какая-то. Но я думаю, что раз я жила год в Москве, я обязательно бы его встретила где-то как-то.

Эльдар Рязанов. И за этот год вы вернули себе знание русского языка и стали понимать его песни?

Марина Влади. Нет, я всё понимала. Но я не могла понимать все подтексты, понять, в чем дело, про что он поет. Тем более в то время он больше всего пел такие шуточные песни, блатные песни. Его репертуар в шестьдесят седьмом году — это совершенно другое, чем то, что он пел в конце жизни.

Эльдар Рязанов. А свадьбу где отмечали?

Марина Влади. В Грузии... Нам устроили колоссальный пир. Мы сидели семь часов за столом... Но мы не пили...

Эльдар Рязанов. Это в Тбилиси или где-то?

Марина Влади. В Тбилиси, да, в квартире, такой чудесный пир. Потом мужики замечательные пели. Ну, а потом мы были на теплоходе «Грузия», у капитана Толи Гарагули. Это было наше с Володей свадебное путешествие на теплоходе.

Эльдар Рязанов. А дальше началась совместная жизнь. Вы популярная актриса, которая должна работать во Франции. Он артист театра и кино, здесь играет в театре, выступает, снимается. Как протекала ваша жизнь? Вы там, он тут — как это происходило?

Марина Влади. Ну как это происходило? Мне нужно было иметь очень хорошее здоровье. Потому что я ездила туда и обратно бесконечно. Он шесть лет не ездил во Францию. Его власти не пускали. И было очень сложно для меня, потому что у меня трое детей, к тому же сыновья. И работа, и надо было продолжать быть актрисой, потому что нельзя всё бросить и сидеть на месте. Жизнь была очень такая сумбурная. За шесть лет я ездила подряд несколько десятков раз туда — обратно.

Эльдар Рязанов. А в связи с этим не было ли разговоров у вас о том, что, может быть, имеет смысл вам переехать в Россию или ему переехать во Францию? Вам же, наверно, хотелось быть рядом, быть вместе.

Марина Влади. Нет, вы знаете, мы с первого же

Марина и Володя в Театре на Таганке

дня поняли, что мы будем жить так, как жили. В конце концов, он имел свою жизнь, я — свою. Но у нас была душевная связь, конечно. И мы общались ежедневно по телефону, благодаря, я должна сказать, чудесным телефонисткам советским.

Эльдар Рязанов. Подолгу разговаривали?

Марина Влади. Ну, очень долго, очень долго. Нас просто забывали, к счастью, и мы говорили.

Эльдар Рязанов. Заработанные деньги уходили на оплату разговоров?

Марина Влади. Да, и на самолеты. Вообще, очень всё это было сложно. Но мы рассчитали, что мы все-таки больше живем вместе, чем большинство советских актеров, например. Потому что я часто бывала тут. А потом Володя стал ездить ко мне во Францию. Так что мы все-таки жили вместе примерно восемь месяцев в году. Много.

Эльдар Рязанов. Скажите, пожалуйста, а Володя был ревнив или нет?

Марина Влади. Да, и я тоже.

Эльдар Рязанов. Понятно. И это проявлялось достаточно бурно или, так сказать, подспудно.

Марина Влади. Вы знаете, надо сказать, что у нас темпераменты совсем неспокойные.

Эльдар Рязанов. У обоих?

Марина Влади. Даже если кажется, что я очень спокойный человек, я совершенно не такая. А он вообще был человек очень темпераментный и взволнованный. Наша жизнь была неспокойная, конечно. Мы очень ссорились. Мы же люди нормальные. Несмотря на то, что он, вероятно, гений, он все-таки человек был.

Эльдар Рязанов. Гений обязан быть человеком...

Я все вопросы освещу сполна,
Дам любопытству удовлетворенье.
Да! У меня француженка жена,
Но русского она происхожденья.

Нет, у меня сейчас любовниц нет.
А будут ли? Пока что не намерен.
Не пью примерно около двух лет.
Запью ли вновь? Не знаю, не уверен.

Да нет! Живу не возле «Сокола»,
В Париж пока что не проник...
Да что вы все вокруг да около?
Да спрашивайте напрямик!

Я все вопросы освещу сполна,
Как на духу попу в исповедальне!
В блокноты ваши капает слюна —
Вопросы будут, видимо, о спальне?

Да, так и есть! Вот густо покраснел
Интервьюер: «Вы изменяли женам?»
Как будто за портьеру подсмотрел
Иль под кровать залег с магнитофоном.

Да нет! Живу не возле «Сокола»,
В Париж пока что не проник...
Да что вы все вокруг да около?
Да спрашивайте напрямик!

Теперь я к основному перейду:
Один, стоявший скромно в уголочке,
Спросил: «А что имели вы в виду
В такой-то песне и такой-то строчке?»

Ответ: «Во мне Эзоп не воскресал.
В кармане фиги нет, не суетитесь!
А что имел в виду — то написал:
Вот, вывернул карманы — убедитесь!»

Да нет! Живу не возле «Сокола»,
В Париж пока что не проник...
Да что вы все вокруг да около?
Да спрашивайте напрямик!

Марина знала, с каким трудом я тогда пробил разрешение на съемку этой телепередачи, и поэтому сказала следующее:

Марина Влади. Я хотела бы поблагодарить всех, кто позволяет эту передачу, и вас, который ее предложил, делает и ведет.

Эльдар Рязанов. Это просто наш долг, который мы выполняем перед огромным количеством людей, которые любят Высоцкого, слушают его. Ведь в каждом доме есть его записи. Так что это естественный отклик на любовь народную. Пожалуйста, скажите, а как он сочинял? Вот, говорят, что он писал ночами...

Марина Влади. Он писал в любое время и по-разному. Были вещи, которые у него месяцами в голове крутились, и понятно было, что он что-то придумывает, что у него что-то в голове делается. У него был такой вид, что становилось ясно — он не тут. А иногда он просто сидел и сочинял впрямую. Ну, конечно, и по ночам писал. Он же работал целый день в театре, репетировал, потом еще кино, выступления...

Эльдар Рязанов. Расскажите о каких-нибудь случаях, когда он вас удивил, поразил, что-то сделал неожиданное.

Марина Влади. Это невозможно, это ежедневные случаи. Он поражал все время. Я не могу рассказать вам двенадцать лет жизни. Он был поразительно добрый. Щедрый очень. Больше всего меня поражали его выступления перед публикой, конечно. У него был особый шарм и огромная сила воздействия на публику, он ее так держал, даже в колоссальных залах, где стоял один, тоненький, маленький человечек. Ведь он был, в общем, довольно невысокий, ничего в фигуре такого особенного не было. Он был, если его встретить на улице, как обыкновенный, любой... А на сцене вдруг сразу же становился гигантом.

Эльдар Рязанов. Когда он придумывал стихотворение, он его вам сразу читал или же дожидался, когда сочинялась музыка, и тогда уже пел вам?

Марина Влади. Нет. Он мне читал сразу, он мне даже звонил ночью в Париж, когда меня не было здесь.

Эльдар Рязанов. И читал стихи по телефону?

Марина Влади. Да, да.

Эльдар Рязанов. А потом читал второй раз, когда сочинял мелодию?

Марина Влади. Иногда он сочинял первым делом мелодию. Кстати, про него как композитора очень мало говорят. А он чудесный композитор, у него очень красивые мелодии.

Эльдар Рязанов. Да, они сразу входят в душу. Значит, бывали случаи, когда мелодия возникала раньше и потом на нее писались стихи?

Марина Влади. Так бывало редко. Обычно сначала стихи, и на них он находил мелодию. Много писал по заказу, об этом люди мало знают. Для фильмов, для спектаклей...

Эльдар Рязанов. А он очень переживал и страдал оттого, что его при жизни не печатали?

Марина Влади. Очень. Он везде предлагал стихи. Он у всех спрашивал помощи. У всех поэтов. И никто не мог ему помочь, к сожалению. Он очень переживал, хотя это смешно, потому что его любила публика, как никого. И он это при жизни чувствовал. Он не был поэтом, которого никто не знает и который пишет для себя и всё в стол кладет. Он знал, что его слушают, что его пленки есть во всех домах. Я помню, как мы однажды ходили по улице, вместе гуляли немножко, влюбленные, молодые... Стояла летняя погода. И из окон домов доносился Володин голос: слушали его пленки. Звучала вся улица, и из каждого окна — разные песни. Он жутко гордился. Но в то же время и стеснялся. Он был очень... странный, вперемешку у него была большая актерская гордость и большая естественная человеческая скромность...

День-деньской я с тоской, за тобой,
Будто только одна забота,
Будто выследил главное что-то —
То, что снимет тоску как рукой.

Это глупо — ведь кто я такой?
Ждать меня — никакого резона,
Тебе нужен другой и покой,
А со мной — неспокойно, бессонно.

Сколько лет ходу нет — не секрет?!
Может, я невезучий? Не знаю!
Как бродяга, гуляю по маю,
И прохода мне нет от примет.

Может быть, наложили запрет?
Я на каждом шагу спотыкаюсь:
Видно, сколько шагов — столько бед.
Вот узнаю, в чем дело, — покаюсь!

Эльдар Рязанов. А что он для себя считал наиболее важным, сочинение песен или актерскую работу?

Марина Влади. Конечно, поэзию. Я очень счастлива, что могу сказать об этом перед всей публикой России. Всего написал примерно 800 текстов. Когда он умер — всё это произошло внезапно — то у него все рукописи были в порядке.

Эльдар Рязанов. То есть он хотел, чтобы была книга?

Марина Влади. Да. Да. Все рукописи я сдала в

Литературный архив. Все рукописи в России, все, не только поэзия. И проза, и его записки и так далее. Так что это важно знать публике, что всё то, что он написал рукой своей, всё это я отдала в ЦГАЛИ (РГАЛИ — Российский государственный архив литературы и искусства. — *Э.Р.).* Из этого можно сделать полное собрание его текстов. Я думаю, русская публика достаточно подготовлена, чтобы разобраться, что плохое, а что хорошее... В смысле морали, этики у него ничего скверного нет, он был человек очень чистый, очень честных убеждений. И он себя отдавал целиком. Он был щедрый и любил свою публику и свою Родину. Он вернулся в Москву, чтобы умереть, он не умер на Западе, он ведь и не жил на Западе. Он не уехал отсюда...

Нет меня — я покинул Рассею, —
Мои девочки ходят в соплях!
Я теперь свои семечки сею
На чужих Елисейских Полях.

Кто-то вякнул в трамвае на Пресне:
«Нет его — умотал наконец!
Вот и пусть свои чуждые песни
Пишет там про Версальский дворец».

Слышу сзади — обмен новостями:
«Да не тот! Тот уехал — спроси!..»
«Ах, не тот?!» — и толкают локтями,
И сидят на коленях в такси.

Тот, с которым сидел в Магадане,
Мой дружок по гражданской войне —
Говорит, что пишу ему: «Ваня!
Скушно, Ваня, — давай, брат, ко мне!»

Я уже попросился обратно,
Унижался, юлил, умолял...
Ерунда! Не вернусь, вероятно, —
Потому что я не уезжал.

Кто поверил — тому по подарку —
Чтоб хороший конец, как в кино:
Забирай Триумфальную арку,
Налетай на заводы Рено!

Я смеюсь, умираю от смеха:
Как поверили этому бреду?!
Не волнуйтесь — я не уехал,
И не надейтесь — я не уеду!

Эльдар Рязанов. Когда вы жили в Париже, то тосковали о нем? Хотели увидеть, хотели приехать?

Марина Влади. Ну конечно. Я и сейчас тоскую по нему еще больше. Так что, естественно, я тосковала. Но это тоже, может быть, дало какой-то плюс нашей жизни, что мы не ежедневно находились вместе и друг друга не ежедневно видели. В этом смысле, у нас была очень сильная жизнь, всегда свежая любовь. Может быть, из-за того, что мы не ежедневно жили вместе. Хотя это сложно — так жить. Особенно для женщины.

Эльдар Рязанов. Я думаю, что это в равной степени трудно и для мужчины и для женщины.

Марина Влади. Нет, болтаться между двумя странами с детьми, без детей, два дома, две культуры, две политические системы — это очень сложно! И, тем не менее, остаться на каком-то здоровом психическом уровне.

Эльдар Рязанов. Но у вас, наверное, благодаря этому появилось много друзей здесь, в Советском Союзе?

Марина Влади. Естественно, я тут жила фактически двенадцать лет. У меня дом был открыт, ко мне всегда приходили люди, каждый день, к нам, не ко мне, конечно, — к нам с Володей. И жизнь была очень интересная в Советском Союзе для меня...

Эльдар Рязанов. То есть духовная, наполненная?..

Марина Влади. Я думаю, что нигде в мире такой тогда не было. Может быть, это такая эпоха была, те годы, 70-е. Не было вечера, чтобы кто-то не пришел показать картину, спеть песню, рассказать сценарий, пригласить на спектакль... Был период очень интересный, конечно. И потом, Володя все время творчески рос, и все время у него назревали какие-то новые этапы жизни.

Эльдар Рязанов. Он из певца улицы стал певцом страны. Вы это вдруг почувствовали или постепенно?

Марина Влади. Нет, это происходило на глазах. Рос не по дням, а по часам, как говорится. Просто удивительно рос.

Эльдар Рязанов. Расцвел творчески... Марина, а какие у него отношения складывались с чиновниками? Среди них у него были поклонники?

Марина Влади. Если бы у него не было среди них, как вы говорите, поклонников, он бы вообще никогда не выехал из Советского Союза. Он никогда не смог бы выступать. Были люди, которые его, тем не менее, любили и поддерживали. Но в основном ему, конечно, не давали спеть ни по радио, ни по телевидению. И он мало снимался почему-то. Для такого уровня актера все-таки странно, что он снялся не очень много. Нет, ему было нелегко, конечно. Ему было очень нелегко!

Эльдар Рязанов. Но это его не озлобило.

Марина Влади. Я, вы знаете, думаю, что надо все-таки слушать то, что он сам писал об этом, по любому поводу. Потому что он на все ваши вопросы уже ответил...

Я несла свою Беду
По весеннему по льду.
Обломился лед — душа оборвалася,
Камнем под воду пошла,
А Беда, хоть тяжела, —
А за острые края задержалася.

И Беда с того вот дня
Ищет по свету меня,
Слухи ходят вместе с ней — с Кривотолками.
А что я не умерла,
Знала голая ветла
Да еще перепела с перепелками.

Кто ж из них сказал ему,
Господину моему, —
Только выдали меня, проболталися.
И от страсти сам не свой
Он отправился за мной,
Ну а с ним — Беда с Молвой увязалися.

Он настиг меня, догнал,
Обнял, на руки поднял,
Рядом с ним в седле Беда ухмылялася...
Но остаться он не мог —
Был всего один денек,
А Беда на вечный срок задержалася...

...С тех пор прошло около десяти лет. И вот новая наша встреча. На этот раз во Франции.

Эльдар Рязанов (показывая на дом): Вы давно в этом доме живете?

Марина Влади. Да. Это мой дом. Я имела возможность купить его, когда мне было пятнадцать лет.

Эльдар Рязанов. Откуда в таком возрасте столь огромные деньги?

Марина Влади. Гонорар за двенадцать картин в Италии. Мы работали там по пятнадцать часов в день. Я начала сниматься с одиннадцати лет. Все за-

Сама Фурцева, министр Культуры СССР и член Политбюро ЦК КПСС, была рада пожать руку члену французской компартии, знаменитой актрисе Марине Влади

работанные деньги ушли на дом. Я совершенно ни на что не тратила, экономила: не одевалась, не ела в ресторанах и так далее. Но зато вся семья получила возможность жить здесь.

Эльдар Рязанов. И ваши родители?

Марина Влади. Папа, к сожалению, умер до моего успеха. Но моя мама, мои сестры, все наши дети, — а у нас их четырнадцать, — жили в нашем доме. Родилась я в трехкомнатной квартирке, где жили всемером. Отец все время пел, мать танцевала. Детство было чудесное. Но очень, очень бедное. И Володя тут жил и любил этот дом. Он очень много писал тут... А вот видите три березки? Мы их посадили, когда мы — три сестры — играли «Трех сестер» в театре. Это было еще до встречи с Володей. Березам уже тридцать лет.

Эльдар Рязанов. Вас было три сестры?

Марина Влади. Четыре.

Эльдар Рязанов. Вместе с вами?

Марина Влади. Со мной четыре. У меня было три сестры.

Эльдар Рязанов. И две из них стали артистками?

Марина Влади. Мы все были артистками. Ольга начала в театре первая. В Гранд-опера. Потом в театр поступила Татьяна. И Милица. Они работали десять лет балеринами. Потом я тоже пошла в танцовщицы, когда мне исполнилось девять лет. Но через какое-то время Ольга, моя старшая сестра стала режиссером телевидения. Она сменила профессию. Но мы, три сестры, остались актрисами. И были очень знаменитыми. Мы играли чеховских трех сестер. Это был высший пик нашей жизни. Мы имели счастье работать вместе. Целый год!

Эльдар Рязанов. Был большой успех?

Марина Влади. Очень большой. И притом на парижской сцене! В чудесном театре. Спектакль поставил Барсак, известный режиссер, тоже русского происхождения. Мы играли целый сезон, то есть более трехсот представлений.

Эльдар Рязанов. Каждый день?

Марина Влади. Каждый день. А в субботу и в воскресенье — два раза.

Эльдар Рязанов. А мама успела посмотреть спектакль?

Марина Влади. Конечно. Практически каждый вечер.

Эльдар Рязанов. Счастлива была?

Марина Влади. Конечно. Она всегда сидела во втором ряду.

Эльдар Рязанов. Расскажите о родителях, о папе и маме. Они познакомились в Белграде?

Марина Влади. Да.

Эльдар Рязанов. Как папа попал во Францию?

Марина Влади. Попал в тысяча девятьсот пятнадцатом году как летчик. Он пошел добровольцем во французскую армию. Стал одним из первых французских летчиков. Потом в бою его самолет подбили, папа был очень серьезно ранен. И остался во Франции. Он любил пение, был певцом.

Эльдар Рязанов. Он был профессиональным певцом? Где-то учился или выступал как любитель?

Марина Влади. Он окончил Московскую консерваторию.

Эльдар Рязанов. И будучи профессиональным певцом, пошел воевать?

Марина Влади. Он был единственный сын вдовы. Поэтому его не взяли в армию. Но папа пошел добровольцем. После войны поступил в оперу, стал из-

Фильм Сергея Юткевича «Сюжет для небольшого рассказа». В роли Лики Мизиновой — Марина Влади. Чехова сыграл Николай Гринько

вестным солистом. И когда выступал с французской оперой в Белграде, то там встретил маму. А мама уехала из России в девятнадцатом году. Она была дочь генерала белой армии, окончила Смольный институт. В семнадцатом году. Это был последний выпуск Института благородных девиц. Мама была не профессиональная танцовщица, но выступала в театре. Отец увидел ее на сцене и сразу влюбился. Очень быстро родилась моя старшая сестра Ольга. Они в двадцать восьмом году переехали в Париж. А в тридцать восьмом появилась на этом свете я.

Эльдар Рязанов. Семья была дружная?

Марина Влади. Замечательная. Но богема. Люди приходили, уходили, открытый дом. Артисты пели, художники показывали картины, все говорили о политике. Мы жили в пригороде Парижа, в Клиши. Потихоньку становились беднее и беднее. Ведь я родилась, когда отцу было пятьдесят, а матери более сорока. Они уже не выступали в театре, не зарабатывали.

Эльдар Рязанов. Я знаю, что вам пришлось содержать семью в весьма молодом возрасте.

Марина Влади. Да. Я стала зарабатывать довольно много денег, можно сказать, с детства. Помимо съемок, я умела хорошо дублировать фильмы и озвучивала все детские роли. В восемь лет я зарабатывала больше, чем отец. Он стал к тому времени рабочим. Уже не пел. Мне было восемь, а ему под шестьдесят.

Эльдар Рязанов. Он был простым рабочим на фабрике?

Марина Влади. Да. А мама не работала, занималась домом. Много детей. А потом и возраст. И не надо забывать, шла война. Тяжелое, трудное время для всех.

Эльдар Рязанов. Где жила семья во время войны, там же в Клиши? В оккупированной зоне Франции?

Марина Влади. Да, там же. Под немцами.

Эльдар Рязанов. А немцев живых помните? Вам было лет пять-шесть...

Марина Влади. Конечно, помню. Помню прекрасно. Для них мы были никто, нас не тронули. Но я была очень травмирована войной. Вспоминаю ее с ужасом. Мы жили около большого вокзала, который бомбили все время. И американцы потом бомбили. И голод. Моя мать похудела на тридцать килограммов в те годы. Она ничего не ела, все отдавала детям. И были очень суровые зимы. У нас не было отопления, спали одетыми, в пальто. Я помню, у отца был полушубок, нас им накрывали. Когда отец уходил на работу, он давал мне кусочек мяса. Он единственный в семье ел мясо, потому что работал. Он мне давал маленький кусочек мяса, и я его весь день сосала. Отец был анархистом, но родители очень переживали за Россию.

Эльдар Рязанов. Дома говорили по-русски или по-французски?

Марина Влади. Только по-русски. Первый язык русский. Тем более я была воспитана бабушкой, матерью моего отца, которая приехала в Париж в тридцать шестом году. Она была очень старая, жила у нас. Именно она воспитывала меня до шести лет. Я до шести лет говорила только по-русски. А уж потом стала учиться французскому...

В это время с улицы на лужайку вошел невысокий пожилой человек с портфелем в руках. Проходя мимо нас, он поклонился. Марина остановила его и стала нас знакомить. Мы поняли, что это ее муж, знаменитый доктор, онколог, бывший министр здравоохранения, отважный общественный деятель. Нам, как обывателям, конечно, было интересно поглазеть, кого выбрала Марина Влади после Высоцкого. Она, верно, тоже это почувствовала и отрекомендовала его весьма странно.

Марина Влади. Это мой компаньон жизни Леон Шварценберг...

Мы. Очень приятно.

Марина Влади. Знаменитый онколог, с которым я живу уже несколько лет...

Мы. Очень приятно.

Леон Шварценберг. Мне очень приятно с вами познакомиться...

Мы. И нам очень приятно...

После обмена несколькими любезными фразами хирург-онколог удалился в дом, а хозяйка пригласила нас попить чайку. Дальше беседа продолжалась за самоваром, купленным в Ницце. Этот самовар служил реквизитом в «Трех сестрах», а теперь в него наливают кипяток и ставят на стол во время чаепития.

Эльдар Рязанов. Марина, ситуация у нас с вами непростая. Вы снялись более чем в сотне фильмов. Говорить о фильмах — не хватит ни времени, ни места...

Марина Влади. ...ни памяти...

Эльдар Рязанов. Итак, вы начали сниматься в одиннадцать лет, и ваш первый значительный фильм — это «Дни любви» режиссера Джузеппе де Сантиса, одного из отцов неореализма... Кстати, вы играли в каком-либо фильме вместе с Высоцким?

Марина Влади. «Очаровательная врунья». Комедия Марты Мессарош. В Венгрии. Марта — очень хороший режиссер. Это была единственная картина, где я снималась вместе с Володей. У нас там прелестная сцена была, где мы под снегом, флирт такой... И в конце концов он меня целует. Он там очаровательный просто, и сцена получилась очень красивая. Это был единственный раз, когда мы снимались вместе. Я не хочу снова рассказывать, как нам не давали жить в Советском Союзе. Но, к сожалению, нам не дали и сниматься вместе. Это ужасно. Мы могли больше жить вместе.

Эльдар Рязанов. А в «Пугачеве» вы должны были играть Екатерину Вторую?

Марина Влади. Екатерину, конечно.

Эльдар Рязанов. А он — Пугачева?

Марина Влади. Конечно. Пробы у него были чудесные.

Эльдар Рязанов. Я видел эти пробы. Очень сильные.

Марина Влади. Я делала только пробы костюмов. Но самое смешное, что все-таки снялась в роли Екатерины, только у японцев.

Эльдар Рязанов. А что это за фильм был?

Марина Влади. Название вроде «Сны России» или «Сны о России». Снимался три года назад.

Эльдар Рязанов. Вы все-таки сыграли Екатерину, а он Пугачева в кино не сыграл.

Марина Влади. Нет, к сожалению. Это большая потеря. Он был гениальным Пугачевым. Но пробы существуют, вы должны их найти. Это удивительно, как он там играл.

Эльдар Рязанов. Марина, а в Россию как актриса вы попали, когда вас пригласил Сергей Юткевич в фильм «Сюжет для небольшого рассказа»?

Марина Влади. Да, это очень смешно. Я с Юткевичем познакомилась в свои пятнадцать лет, когда получала первый раз в Каннах премию за фильм «Перед потопом».

Эльдар Рязанов. Режиссер Андре Кайатт?

Марина Влади. Кайатт. Мы получили премию критики, это очень хорошая премия. И меня не пускали в зал, потому что мне не было шестнадцати лет, и я не имела права видеть этот фильм по возрасту. И меня провел Серж Юткевич.

Эльдар Рязанов. А он был членом жюри, наверное, как всегда?

Марина Влади. Как всегда. Так мы и познакомились. Потом иногда виделись на фестивалях. И однажды он мне предложил роль Лики Мизиновой. А я обожаю Чехова. Это мой любимый писатель и драматург. Я часто играла в произведениях Чехова в театре и в кино тоже. Я сразу сказала: «Да». Я не знала тогда, что после этого буду двенадцать лет жить в России. Я снималась год, и за это время Володя Высоцкий стал моим любимым человеком, стал моим мужем.

Эльдар Рязанов. Когда начинали играть в этом фильме, вы, наверное, изучали и Чехова, и его дневники и письма?

Марина Влади. Конечно.

Эльдар Рязанов. Тогда объясните мне почему, по вашему мнению, Антон Павлович не женился на Лике Мизиновой? Как вы думаете?

Марина Влади. Я думаю, он не был влюблен сексуально. Он не был любовником. Это мое мнение. Он был очень одинокий человек. Думаю, у него были какие-то проблемы с женщинами. Лика была девчонка. Он так описал все ее страдания в «Чайке», что можно не рассказывать. Он просто не сумел ее полюбить, я думаю. А может быть, она не сумела его любить, как надо. Он был, вероятно, довольно трудный человек в жизни. То есть он был очаровательный, добрый, тонкий, интеллигентный, гуманист и так далее. Чистый гений. Я его ставлю на одном уровне с Шекспиром. Но...

Эльдар Рязанов. Но вернемся к Высоцкому. Расскажите, как он вас атаковал!

Марина Влади. Я была в театре на Таганке, смотрела спектакль «Пугачев».

Эльдар Рязанов. Там Володя Хлопушу играл.

Марина Влади. Я обалдела. Это был гениальный актер, замечательный, очень сильный!

Эльдар Рязанов. А про его песни вы ничего не знали тогда?

Марина Влади. Нет, знала только, что в этом знаменитом театре на Таганке есть прекрасный актер. Вечером мы пошли в ресторан ВТО, в актерский ресторан. И Володя пришел после спектакля. И стал на меня в упор смотреть. Я к этому привыкла. На меня часто смотрели. Конечно, была тронута, что нравлюсь такому актеру. На сцене он меня потряс. А тут я увидела мальчика. Он был совсем никакой. Худенький. Не очень высокий... Но, конечно, на сцене он был гигант. А в жизни — совсем незаметный, на улице на такого не обратишь внимания.

Эльдар Рязанов. А когда услышали его пение?

Марина Влади. В тот же вечер у Макса Леона — корреспондента «Юманите». Там Володя стал петь. Специально для меня. А потом сказал: «Ты будешь моей женой».

Эльдар Рязанов. В первый вечер?

Марина Влади. Да. Я только похихикала. Решила, что мальчик видел меня на экране, и, по всей вероятности, я ему понравилась. А потом мы встречались долго, почти год, до того как стали... в общем вместе...

Эльдар Рязанов. Я видел, у вас на стене в рамке под стеклом висит его последнее предсмертное стихотворение. Это жуткая традиция наших поэтов. И Есенин оставил перед смертью, и Маяковский, и Высоцкий...

И снизу лед и сверху — маюсь между, —
Пробить ли верх, иль пробуравить низ?
Конечно, всплыть и не терять надежду,
А там — за дело в ожиданьи виз.

Лед надо мною, надломись и тресни!
Я весь в поту, как пахарь от сохи.
Вернусь к тебе, как корабли из песни,
Все помня, даже старые стихи.

Мне меньше полувека — сорок с лишним —
Я жив, тобой и Господом храним.
Мне есть, что спеть, представ перед Всевышним,
Мне есть, чем оправдаться перед ним.

Июнь 1980 год.

Марина Влади. Я стихотворение только после смерти нашла. Оно у него было в бумагах, где всё было зарыто, разрыто. Очень повезло, что я его нашла.

Эльдар Рязанов. Мы приехали, чтобы сделать телепередачу о вас, но все время разговор переходит на Володю. Впрочем, Высоцкий — большая глава вашей жизни.

Марина Влади. Это самая главная глава. И так останется. Володя со мной все время. Всё случилось как будто вчера. Для меня ничего не отошло, ничего не стерто, ничего. И переживания, и то, что его не хватает. Когда открывали памятник, я не могла поехать и послала слова, которые хотела бы произнести. Написала о том, как его не хватает сейчас в России. Не хватает, чтобы описать трагедию народа. Он мог и что-то дельное предложить. Володя был удивительный ясновидец. Его стихи, написанные двадцать-тридцать лет назад, — это же о сегодняшних страданиях народа, о сегодняшних его бедах. А ведь при жизни не было ни одного афишного концерта. Но произошло главное — он стал частью нашей культуры, нашей жизни. Так же как Есенин или Маяковский... Так вот, о страданиях людей. Я недавно была в Одессе, снималась там...

Эльдар Рязанов. Вы бывали там раньше с Высоцким?

Марина Влади. Да. Он там много снимался. Мы очень часто жили в Одессе. Оттуда улетали, уезжали поездом, уплывали пароходом. Между прочим, и в свадебное путешествие на теплоходе «Грузия». Но в последний раз Одесса меня просто потрясла... Я жила в России двенадцать лет, но никогда не видела детей, которые роются в помойках. А сейчас я это видела. И для меня это такой ужас, такой стыд! Не могу этого простить.

Эльдар Рязанов. Я, конечно, мог бы сказать, что сейчас это не Россия, а Украина. Но говорить не стану. У нас этого ужаса тоже хватает...

Мы помолчали.

Эльдар Рязанов. Раз у нас не получается беседа о кино, давайте поговорим о мужьях. Начнем по порядку. Робер Оссейн, отец ваших двух сыновей, ваш партнер по многим фильмам и ваш режиссер.

Марина Влади. Мы встретились, когда мне было пятнадцать лет, а ему двадцать пять. Я его знала, потому что он дружил с моими сестрами. Он ведь тоже выходец из России, его настоящая фамилия Хусейн. Отец его из Узбекистана, а мать из Киева. Когда я была уже звезда, уже существовала «Колдунья», он предложил мне роль в своем первом фильме «Мерзавцы спускаются в ад».

Эльдар Рязанов. «Мерзавцы...» это первая режиссерская работа Оссейна?

Марина Влади. Да. Мы оба снимались в этом фильме. Хорошая картина, кстати, имела большой успех.

Эльдар Рязанов. А о чем она?

Марина Влади. Что-то эдакое... полицейское... А потом поженились. Через год родился старший сын, Игорь, потом Пьер. Я снималась с Робером в пяти или шести картинах. И только в его фильмах. Но когда мы развелись, я фактически осталась без работы. Ведь от предложений других постановщиков я до этого отказывалась.

Эльдар Рязанов. А разошлись из-за чего?

Марина Влади. Сложная, длинная история. Долго рассказывать. Когда выходишь замуж в семнадцать лет... У меня были надежды иметь шестерых детей, организовать свой театр. А он стремился только делать кино. Детей иметь не хотел... Просто мы были очень молодые... и после пяти лет совместной жизни разошлись... Ну, потом мне повезло. Я — «Принцесса Клевская» — это мой самый большой успех в жизни, это ведь французская классика. Режиссер Жан Деланнуа.

Эльдар Рязанов. Подождите, Марина. Насколько я знаю, у вас три сына. Откуда взялся третий?

Марина Влади. Я вышла замуж за летчика. У него

в Африке была своя авиакомпания. Настоящий такой мужик. Авантюрьер.

Эльдар Рязанов. Супермен, что ли?

Марина Влади. Да, да. Супермен. Я встретила его, когда снималась в Африке. Его зовут Жан Клод Бруйе.

Эльдар Рязанов. Он был действительно летчик? Или хозяин авиакомпании?

Марина Влади. Он был герой-летчик. Построил много аэродромов в Африке. Он сотни людей спас на своем маленьком самолете.

Эльдар Рязанов. От чего спас? От землетрясения, от голода?

Марина Влади. Он перевозил больных людей. Доставлял их в больницы. Потом основал авиакомпанию. Очень богатый человек. Гасконец к тому же...

Эльдар Рязанов. (Тут я блеснул эрудицией, прочитав наизусть монолог Сирано де Бержерака из пьесы Э. Ростана.)

Дорогу гвардейцам-гасконцам!
Мы дети одной страны.
Мы все под полуденным солнцем
И солнцем в крови рождены.

Марина Влади. Вот-вот... Он мне понравился. Мы поженились. Я всегда хотела иметь большую семью. Хотела еще иметь детей.

Эльдар Рязанов. Наверное, потому, что выросли в такой семье, где было много ребятишек.

Марина Влади. После рождения третьего сына я перестала сниматься, занималась детьми, домом.

Эльдар Рязанов. То есть стали домашней хозяйкой?

Марина Влади. Да, можно так сказать. Хотя у меня была и своя яхта, и свой самолет, и много прислуги, и кухарка, и шофер, и садовник... Но я очень быстро стала скучать без съемок, без работы в театре. Я всю жизнь сама зарабатывала деньги, много работала.

Эльдар Рязанов. Вы тогда жили в Африке?

Марина Влади. Мы жили довольно долго в Африке, потом поселились на юге Франции. У нас был чудесный дом, самый красивый дом на юге. Дальше мне стало невмоготу — я не могла не работать. Тут вопрос встал очень серьезно, Жан Клод не хотел, чтобы я уходила в кино.

Эльдар Рязанов. Не хотел, чтобы вы снимались?

Марина Влади. Нет. И сделал большую глупость. Он вполне мог стать моим продюсером, денег у него хватало. У него их было много. Но так случилось, и мы расстались. И я улетела в Россию. А там встретила Володю.

Эльдар Рязанов. На правах давнего знакомства, пожалуй, щекотливый вопрос. Русский менталитет — особенный менталитет. После того, как погиб Джон Кеннеди, у нас многие осуждали Жаклин, которая не осталась верна его памяти и вышла замуж за Онассиса. Хотя, казалось бы, какое нам дело до американского президента и его вдовы? А Володя Высоцкий для нашего народа куда больше, чем любой президент. И вдруг женщина, которую он обожал, которой посвящал стихи и так далее... Вы понимаете, что я имею в виду.

Марина Влади. Конечно, понимаю. И совершенно спокойно отвечу на ваш невысказанный упрек. Речь идет о Леоне Шварценберге, так ведь?.. Когда я осталась без Володи, мне было сорок два года.

Жизнь продолжалась, я ведь не умерла. И через какое-то время, то есть через три года я встретила человека, который совершенно другой. Он старше меня на пятнадцать лет, он полюбил меня и смог помочь мне — я ведь пережила ужасную трагедию, потеряв Володю. Леон дал мне возможность жить и работать, чувствовать себя нормальной женщиной. Когда Володя умер, я снималась в фильме, который назывался «Сильна, как смерть», по Мопассану. Я улетела на два дня в Москву на похороны, а потом продолжались съемки. Я стала работать, как сумасшедшая. Всё, что мне предлагали, я брала, брала, брала. Но так получилось, что я встретила этого человека, именно этого. Думаю, что никто другой не мог бы мне так помочь. Леон — известный врач, профессор-онколог. Кстати, он лечил и Андрея Тарковского, когда у него нашли раковую опухоль. Но он еще и общественный деятель. Очень много работает в области социальных проблем. Он был министром здравоохранения Франции. Занимается политикой. Он — личность. И я очень горжусь тем, что я рядом с ним. Сейчас он защищает бездомных людей. Эти несчастные взламывают двери пустующих домов и занимают их. Леон в гуще событий. Его бьют полицейские, а ведь ему все-таки семьдесят три года. Он очень храбрый. Считаю, что, живя с человеком таких высоких моральных качеств, я не оскорбляю Володю. Наоборот!

Эльдар Рязанов. Марина, вы были в своей жизни одарены любовью прекрасных мужчин. Это огромное счастье. Один — замечательный режиссер и актер, другой — летчик, храбрый, смелый, отважный. Третий — потрясающий певец, артист, поэт. Сейчас мужественный врач...

Марина Влади. А почему вы не говорите, что эти люди были одарены моей любовью? Я знаю только одно — что умею любить. Это точно.

Эльдар Рязанов. Я-то считаю, что уметь любить — это талант, данный не всякому.

Марина Влади. Я умею любить потому, что отдаю всё. Но и беру тоже всё.

Эльдар Рязанов. Максималистка?..

Марина Влади. Да, конечно. Максималистка.

Эльдар Рязанов. Были ли в вашей жизни случаи, когда вы становились инициатором в любви?

Марина Влади. Я думаю, что всегда решает женщина.

Эльдар Рязанов. Мужчине только кажется, что решает именно он?

Марина Влади. Разумеется. Решение всегда остается за женщиной.

Эльдар Рязанов. Уже больше ста лет тому назад к перрону подошел поезд братьев Люмьер. Что происходит в кино сейчас? Каково ваше отношение? Не чувствуете ли вы, что этот поезд французского кино куда-то уходит, а вы остаетесь на перроне, как пассажир, который опоздал? Или нет этого ощущения? И вы по-прежнему едете в поезде французского кино? Извините за красивость...

Марина Влади. Я сейчас не работаю в кино. Теперь пишут роли для женщин, которым двадцать пять — тридцать лет максимум. То есть женщина в моем возрасте имеет возможность сыграть в кинокартине одну или три хороших сцены. Мать, или, не знаю, директриса какого-то завода. Если что-то подобное предлагают, я не отказываюсь. Но вообще сейчас я работаю в театре. Играю большие прекрасные роли. Только что сыграла «Вишневый сад», Раневскую. Можете себе представить? Это сон моей жизни! Этот спектакль поставил Марсель Маришель, наш самый лучший режиссер... Я играю Гертруду в «Гамлете» Шекспира. В следующем моем спектакле буду играть Марину Цветаеву. Специально для меня молодая писательница сделала пьесу про Цветаеву. Для двух актеров: Марина и ее сын.

Эльдар Рязанов. Русская писательница?

Марина Влади. Француженка. Тридцатилетняя девчонка. Я плакала все время, пока читала пьесу.

Эльдар Рязанов. А вы любите поесть?

Марина Влади. А вы не заметили?

Эльдар Рязанов. Нет.

Марина Влади. Очень люблю. Обожаю. И люблю готовить.

Эльдар Рязанов. Но держите себя в узде?

Марина Влади. Теперь нет. До сорока лет держалась, а теперь нет.

Эльдар Рязанов. Это еще с балета шло, вот так держать себя в форме?

Марина Влади. Да. А в детстве еще и нужда. Я до сорока лет с хвостиком играла первые роли в кино, то есть любовниц, героинь. Надо было быть худенькой. Ведь теперь только худые женщины считаются красивыми... И существует еще очень важная часть моей жизни — это книги. Володя мне часто говорил: «Ты должна писать. Когда-то ты будешь писать, я уверен. Ты мне пишешь такие письма... У тебя есть литературный дар». А я говорила: «Ты знаешь, я и пою, и снимаюсь, и играю в театре... Хватит». Но в восемьдесят пятом году я решила, что надо рассказать правду о Володе. О том, как мы жили с ним, что он пережил, почему умер в сорок два года. И я напи-

Марина Влади.
Господь Бог подарил ей всё: красоту, талант, любовь, детей

сала книгу «Владимир, или Прерванный полет». Эта книга открыла мне путь в литературу.

Эльдар Рязанов. Она имела огромный успех в нашей стране.

Марина Влади. Огромный успех везде в мире. Переводы на семнадцать языков. И в России, конечно, удивительный успех. Когда я увидела, что могу писать, я написала воспоминания. И о сестре, и о родителях, и о жизни вообще. В этой книге всё подано через наших домашних животных: псы, кошки, куры, птицы. Книга была издана и тоже имела успех. А потом я сочинила роман. Называется «Венецианский коллекционер».

Эльдар Рязанов. Это уже что-то выдуманное, то есть беллетристика?

Марина Влади. Это совершенно выдуманное. Прежде были воспоминания, мемуары, а это — роман с придуманным сюжетом. Героиня — актриса. Я взяла знакомый материал.

Эльдар Рязанов. Там есть какие-то автобиографические моменты?

Марина Влади. Нет, совершенно нет. Наоборот. Я написала женщину, противоположную мне по характеру.

Эльдар Рязанов. А эта новая книга, «Путешествие Сергея Ивановича» — о чем?

Марина Влади. Эту книгу я написала, потому что слышала рассказы молодых парней про Афганистан. И решила, что надо рассказать про эти факты. Книга издана на французском языке уже около двух лет назад. Критика была замечательная. Существует и перевод на русском языке. Жду русского издателя.

Эльдар Рязанов. Марина, а у вас есть какие-то еще литературные планы?

Марина Влади. У меня выходит новая книга, толстая. Тоже рассказы. Про еду.

Эльдар Рязанов. То есть кулинарная книга? Вы знаете, последняя книга Александра Дюма была кулинарной...

Марина Влади. Нет, моя книга — это не рецепты. Это воспоминания около еды, это встречи вокруг стола, застолья, пьянство, друзья, байки... Скоро выйдет в свет.

Эльдар Рязанов. А вы не думали издать когда-нибудь вашу переписку с Володей? Когда-нибудь?

Марина Влади. Тут есть одна большая сложность — все мои письма исчезли. Все Володины письма, естественно, у меня дома. Но мои письма исчезли. Когда Володя умер, многие вещи, к сожалению, исчезли из дома. Среди них и мои письма. Они всплывают иногда... Бывает, что мы покупаем пачки моих писем. Меня ведь обвинили, что я продала все рукописи Володи. Но не будем говорить про гадкое прошлое. Все, что было написано Володей, я сдала в ЦГАЛИ. Все, кроме его писем, написанных мне. Их я пока не сдала. Но обещала девочкам из архива, что когда-нибудь отдам и письма...

Эльдар Рязанов. Замечательно, что вы любите работу, что вы жизнелюбивы, полны энергии, что вы красивы, что вы замечательно выглядите. Я желаю вам, чтобы всё в вашей жизни сбылось, все, что вы хотите. И, чтобы вы не забывали, что есть еще одна страна, где вас любят, ждут и помнят.

Марина Влади. А я желаю, чтобы все люди в России, которые сейчас страдают и переживают, стали бы жить лучше. Невозможно, что такая огромная страна, с такой историей, таким интеллектуальным богатством не может создать своим людям достойные условия для жизни. Сердце болит...

Боюсь, после нашей беседы у читателя не возникнет яркого представления о творческом лице замечательной актрисы Марины Влади. Мы в нашем разговоре все время сворачивали с искусства на другие, житейские темы. Но зато, надеюсь, читатель узнает замечательную женщину — Марину Влади. Почувствует ее ум, сильный и цельный характер, дружелюбие, ее любовь к Высоцкому, к России и своей профессии...

ЗАГАДКА Л.Ю.Б.

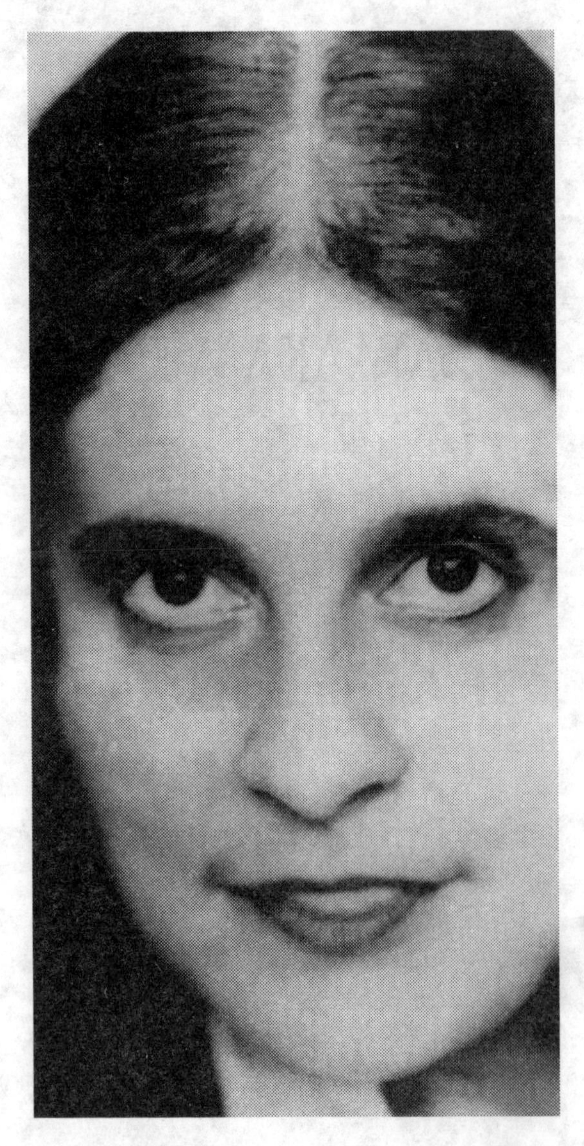

Лиля Брик — одна из самых загадочных женщин XX столетия

Поэзия, как мне кажется, — самый личный, самый интимный, самый исповедальный вид искусства, потому что главное в ней — это стихи о любви. Поэт, который не сочиняет стихов о любви, с моей точки зрения, не поэт. Естественно, что поэтов на эти стихи вдохновляют женщины, те, которых они любят, обожают, которые заставляют их страдать, переживать, мучиться, быть счастливыми...

Мы помним о Лауре, которую воспел в своих сонетах Петрарка и чье имя благодаря этому донеслось до нас через много веков. Мы поклоняемся Наталии Гончаровой, музе Александра Сергеевича Пушкина, о которой он сказал: «Моя мадонна, чистейшей прелести чистейший образец». Вы помните, вероятно, новеллу Ираклия Андроникова «Загадка НФИ», посвященную лирике Лермонтова, в которой Андроников пытался расшифровать эти инициалы. Я нарочно взял аналогичное название, но хочу сразу открыть, о ком идет речь. Л.Ю.Б. — это Лиля Юрьевна Брик, муза Маяковского. Это женщина, которой он посвятил свое первое прижизненное собрание стихов. Он посвятил ей, при первом же знакомстве, — ибо влюбился мгновенно, — и свою поэму «Облако в штанах».

Борис Пастернак писал: «Быть женщиной — великий шаг, сводить с ума — геройство». Но Лиля Юрьевна не только сводила с ума и не только вдохновляла на стихи. Она вообще не была отражением, не была тенью Маяковского. Она состоялась как самостоятельная, крупная яркая личность. Она дружила с самыми интересными людьми XX столетия. Ее друзьями были Пикассо и Леже, Сарьян и Тышлер, Неруда и Арагон. И этот список можно продолжать, продолжать и продолжать. Весь цвет XX века знал ее, любил ее, дружил с ней.

Правда, надо сказать, что у нее было и много врагов. Эта женщина воспринималась неоднозначно. Ее свободомыслие, ее отношение к общепринятой морали, то, как она устроила свою личную жизнь, вызывало осуждение многих. Она была окружена не только дружбой, но и враждой, не только любовью, но и ненавистью, не только обожанием, но и скандалами. И сейчас, когда ее нет, ее имя по-прежнему продолжает обрастать мифами, легендами, небылицами. Мне хочется, дорогой читатель, рассказать правду и понять, в чем именно загадка Л.Ю.Б. — загадка Лили Юрьевны Брик.

Если я чего написал,
Если чего сказал,
Тому виной глаза-небеса,
Любимой моей глаза.
Круглые да карие,
Горячие до гари.

Наша съемочная группа находится в квартире, где последние 20 лет своей жизни жила Лиля Юрьевна Брик. Здесь практически все сохранилось так,

Известно о многих романах Лили Юрьевны, но главный ее роман, о котором мало кто знает, — Василий Абгарович Катанян, ее муж, с которым она прожила до своей смерти 40 лет

как было при ней. Конечно, какие-то небольшие изменения есть, потому что здесь сейчас живут другие люди, а именно Василий Васильевич Катанян со своей женой Инной. Василий Васильевич мой самый близкий друг. Мы вместе учились во ВГИКе, знакомы и дружим, страшно сказать, с 1944 года. В 1994 году мы отметили золотой юбилей нашей дружбы. Отец Васи, Василий Абгарович Катанян, сорок лет был мужем Лили Юрьевны Брик. Сам Вася — кинорежиссер, документалист, лауреат Ленинской премии. Правда, сейчас такие времена, что непонятно, надо гордиться этим или стыдиться. Но поскольку Вася получил премию за свой фильм о партизанах Великой Отечественной войны, то думаю, что премией можно гордиться.

Василий Катанян. Гордись, гордись мною.

Эльдар Рязанов. Я тобой не только горжусь. Я тебя просто люблю. Итак, с преамбулой мы покончили. Вася, из оставшихся в живых ты знал Лилю Юрьевну лучше и дольше всех. Что это была за женщина? Расскажи о ее внешности, о характере, почему к ней влекло людей, из какой она семьи?

Василий Катанян. Должен сказать, фотографии не дают о ней представления. На мой взгляд, она была нефотогенична. Есть всего несколько фотографий знаменитого фотомастера Родченко, которые хоть как-то передают ее обаяние.

Родилась Лиля в Москве. Отец ее имел адвокатскую практику, мать — учительница музыки, семья образованных московских интеллигентов. Девочкой Лиля была очень независимой, и юность у нее была тоже весьма бурная. Еще подростком она стала пользоваться у мужчин огромным успехом из-за

Сестры Каган в детстве: справа старшая — Лиля, слева младшая — Эля

своей красоты, которую, как я уже говорил, фотографии и портреты передать не могут.

Эльдар Рязанов. Думаю, дело было не только в красоте, но еще и в уме и независимости суждений...

Василий Катанян. Ей было шестнадцать лет. Она с подругой ехала в дачном поезде за город, под Петербургом. И какой-то бородатый мужик, как она пишет, очень синеглазый, с ней заговорил. Они стали перешучиваться. А когда сошли, синеглазый говорит: «Ты ко мне приходи. Вот я тебе дам телефон. Приходи, чайку попьем». И дает ей номер телефона. Выяснилось, что это Григорий Распутин. Лиля Юрьевна немножко опешила, но потом все-таки решила пойти. Очень уж ей было любопытно. К счастью, ее отговорили, не пустили.

Эльдар Рязанов. А вот что я читал у Михаила Матусовского, который жил в одной квартире с матерью Лили Юрьевны, еще до войны. Он с ее слов записал историю: мама прогуливалась с дочками, с Лилей и младшей, Эльзой. Вдруг — остановилась пролетка, и роскошный мужчина сказал: «Боже, какие очаровательные дети! Я вас приглашаю, приходите завтра в Большой театр. Для вас будут оставлены билеты, спросите на фамилию Шаляпин». Это был сам Федор Иванович. Лиля привлекала к себе внимание еще с детских лет и до глубокой старости. Тогда ею увлекся знаменитый модельер, один из крупнейших кутюрье нашего времени Ив Сен-Лоран. Он увидел ее впервые в аэропорту, ей уже было астрономическое количество лет. И сказал только: «Какая женщина!» Они познакомились, подружились, ездили друг к другу в гости. То в Париж, то в Москву...

Василий Катанян. Осип Максимович Брик был

Такой была Лиля Юрьевна в 1914 году

братом ее подруги по гимназии, и Лиля Юрьевна влюбилась в него, когда ей было тринадцать лет. Но брак состоялся примерно восемь лет спустя. Брик был ее постоянной любовью. Я имею в виду не только любовь физическую, а вообще. И это кончилось только тогда, когда в сорок пятом году он умер от разрыва сердца, поднимаясь по лестнице.

Эльдар Рязанов. Что же это был за человек и что же это была за любовь, которую Лиля Юрьевна пронесла через всю жизнь?

Василий Катанян. Лиля Юрьевна в него сразу влюбилась и влюбилась в общем на всю жизнь. Она была однолюбкой, так она писала сама.

Эльдар Рязанов. Однолюбка?! И это при том, что у нее было четыре мужа?!

Василий Катанян. Как хочешь, так и понимай. Она писала: «Я его любила больше, чем отца, больше, чем сына. О такой любви я никогда нигде не читала, я не знаю, с чем это сравнить». А Осип Максимович был очень умный, довольно холодный и равнодушный, его ничто не интересовало, кроме каких-то своих дел. Виктор Шкловский называл его «кошка, которая гуляет сама по себе».

Эльдар Рязанов. Я хочу понять только, что же в нем было особенного, если женщина, которая сама является значительной личностью, предпочитала его?

Василий Катанян. Думаю, это был ум. Очень большой ум и ясное понимание всего, что происходит вокруг.

Эльдар Рязанов. Мне кажется, что ум нельзя любить всю жизнь. Я хочу понять, в чем же тут дело?

Василий Катанян. Я тоже не знаю, почему один человек влюбляется в другого.

Эльдар Рязанов. Тогда я тебе задаю такой вопрос.

В балетной студии

А как Осип Максимович относился к романам, к мужьям, привязанностям Лили Юрьевны? Ведь при нем же были все: и Маяковский, и Примаков, и твой отец. И еще много других. Ему это было все равно?

Василий Катанян. Они прожили как муж и жена всего год или два. После их брак в физическом смысле распался. Причем они остались в очень хороших отношениях. Это произошло еще до возникновения в их жизни Маяковского. У каждого из них появлялись свои привязанности, романы, о которых я сейчас только догадываюсь. Предполагаю. Жили они в одной квартире, но у каждого была своя комната. Куда-то вместе ходили, где-то появлялись, ездили путешествовать, но эротическая сторона в их жизни отсутствовала. И поэтому, когда появился Маяковский, для Брика не было никакой семейной драмы.

Эльдар Рязанов. Значит, и не было никакой любви втроем, которую так смакуют многие критики? Ведь огромное количество скандалов и множество сплетен, легенд, домыслов порождено именно этой необычной ситуацией. Тем, что люди жили втроем вместе в одной квартире.

Василий Катанян. Да, да, да.

Эльдар Рязанов. Как же они там делили кровать, делили женщину? Вот что возбуждало нездоровое любопытство и порождало неприязнь к Лиле. Ее ведь многие считали просто распутной.

Василий Катанян. Когда люди чего-то не могут понять, возникают сплетни — это естественно. Потом про них было интересно сплетничать, потому что они были знаменитости. Понимаешь, про Катю и Маню неинтересно сплетничать, ведь никому не известно, кто это. В литературе можно еще привести

Осип Максимович Брик,
Владимир Владимирович Маяковский.
А в центре женщина, которая не отпускала их обоих

два-три примера: Некрасов и Панаевы; Зинаида Гиппиус, Мережковский и Философов; Полина Виардо с мужем и Тургенев.

Эльдар Рязанов. Но я думаю, что здесь еще имела значение эпоха. И Лиля Юрьевна, и Осип Максимович были авангардистами, Маяковский же был футуристом. Осуществлялся поиск новых личных взаимоотношений. Считалось, что ревность — это пережиток прошлого. Недаром любимым романом Лили Юрьевны был «Что делать?», где тоже похожая ситуация.

Василий Катанян. Кстати, и Маяковский, и Осип Брик тоже страшно любили этот роман. Лиля Юрьевна прожила всю жизнь так, как она хотела. Она не желала отпускать от себя Осипа Максимовича. Она и не расставалась с ним, хотя у того была жена, с которой он провел последние свои двадцать лет, Женя Жемчужная. Женя его любила, и он ее очень любил.

Маяковский и Осип Брик всю жизнь относились друг к другу невероятно нежно и очень дружили. Мне кажется, они просто нуждались друг в друге. Маяковский был недостаточно образован, я уж не говорю о том, что он не ставил запятых в своих стихах, это делал Брик. Он тянулся к культуре, которой ему недоставало, которая шла к нему через Брика. А для Брика Маяковский стал событием. Он перевернул всю его жизнь. Если раньше это был человек, который занимался только юридическими делами, то после встречи с Маяковским он все это бросил к чертовой бабушке. Маяковский открыл для него поэзию, открыл другой мир, и Брик так изменился, что стал теоретиком ЛЕФа, теоретиком авангардного искусства. Он просто переродился, стал другим человеком. И первое издание «Облака в штанах» Маяковского, которое никто не хотел печатать, издал Осип Максимович на свои деньги. А деньги у него имелись — от адвокатской практики.

Эльдар Рязанов. А теперь подойдем к главному — к встрече Лили Юрьевны и Владимира Владимировича. Как зародилась эта любовь, которая сыграла невероятную роль и в жизни Маяковского, и в жизни самой Лили Юрьевны?

Василий Катанян. С Маяковским познакомила ее сестра Эльза.

Эльдар Рязанов. Кстати, говорят, что Маяковский сначала был влюблен в Эльзу.

Василий Катанян. Это не говорят, это факт.

Эльдар Рязанов. Получается, что старшая сестра отбила возлюбленного у младшей?

Василий Катанян. Нет, получается не так. Полу-

Фотография, которую поставила в своей комнате Лиля Юрьевна после смерти Осипа Максимовича

чается, что Маяковский напал на старшую сестру. Лиля Юрьевна писала: «Как только Маяковский меня увидел, он на меня напал. Это было самое настоящее нападение. Я не знала покоя два с половиной года».

Эльдар Рязанов. Неужели два с половиной года она сопротивлялась?

Василий Катанян. Нет, просто через два с половиной года они сказали Брику о том, что решили связать свои судьбы. Маяковский в первый же вечер в Лилю влюбился и в первый же вечер прочитал целиком всю поэму «Облако в штанах». Он стоял в проеме, где не было двери, и не сходя с места декламировал. И тогда супруги Брик поняли, что имеют дело с гением.

Эльдар Рязанов. До двадцать пятого года у Володи и Лили, извини за фамильярность, была любовь.

Очень непростая, со взлетами, падениями, изменами, переживаниями, трагедиями, драмами, радостями, счастьем, совместными поездками. Там было все. Однако, судя по ее мемуарам и по твоим публикациям, возникает ощущение, что он ее обожал безоговорочно. А она как бы позволяла себя любить. Разумеется, она его любила, но их чувства были неравноценными. Маяковский — был вулкан, который окружал ее и себя кипящей лавой. А она снисходила до него, но тем не менее находила время и для других привязанностей. И более спокойно переносила разлуку.

Василий Катанян. Да. И, в общем, ушла от него. Когда у них начинался роман, они обещали друг другу, что когда любовь начнет угасать, они об этом скажут. И вот Лиля Юрьевна написала Маяковскому записку, что уже не испытывает к нему прежних чувств, ей кажется, что «и ты тоже не будешь так же

Лиля Юрьевна и Маяковский.
Не нужно гадать, в каких они находятся отношениях.
Фотография помечена 1915 годом

страдать, потому что и твое чувство ко мне тоже изменилось».

Но она ошибалась. Чувство его к ней в целом не изменилось. Он не был так бешено и страстно влюблен, как это было в начале их романа, но продолжал ее любить горячо, крепко, верно. И страдал, конечно.

И в пролет не брошусь,
И не выпью яда,
И курок не смогу над виском нажать.
Надо мною, кроме твоего взгляда,
Не властно лезвие ни одного ножа.
Завтра забудешь,
Что тебя короновал,
Что душу цветущую
Любовью выжег.
И суетных дней взметенный карнавал
Растреплет страницы моих книжек.
Слов моих сухие листья ли
Заставят остановиться, жадно дыша.
Дай хоть последней нежностью выстелить
Твой уходящий шаг.

Эльдар Рязанов. Что послужило поводом к истории, которая произошла в двадцать втором году, когда Маяковский и Лиля Брик добровольно расстались на два месяца? Маяковский сидел в заточении, не виделся с ней. Что это за странное расставание, с назначенным сроком?

Василий Катанян. Я думаю, что назревал любовный кризис. Причин было несколько. И бытовые, и чисто любовные. У Лили Юрьевны в это время начался роман с Краснощековым.

Эльдар Рязанов. Это кто такой?

Василий Катанян. Был такой государственный деятель, работал на Дальнем Востоке.

*Очередная любовь Лили Юрьевны —
Александр Михайлович Краснощеков с дочерью и сыном*

Эльдар Рязанов. И Маяковский об этом знал?

Василий Катанян. Знал и ревновал. В это время Краснощекова посадили, и Лиля Юрьевна сказала: «Я не могу уйти от Краснощекова, когда он сидит в тюрьме. Это был бы нечестный поступок». Даже не сказала, а написала в письме. Когда посадили Краснощекова, Лиля Юрьевна взяла к себе его дочку, которая осталась сиротой, и долгое время ее воспитывала. Дочь Краснощекова до сих пор ее очень любит.

Эльдар Рязанов. Закончился этот двухмесячный добровольный срок отсидки. Была сочинена новая поэма. Что произошло дальше? Я знаю, что они в этот же вечер, двадцать восьмого февраля, уехали в Ленинград, чтобы снова жить вместе.

Василий Катанян. Они помирились. Как только закрылись двери купе и поезд тронулся, он ей прочитал от начала до конца всю поэму «Про это». И после расплакался. Ну, а дальше жизнь пошла как жизнь.

Эльдар Рязанов. Эта трещина, которая образовалась, она потом склеилась или же расширялась и привела к раздельной жизни?

Василий Катанян. Кризис прошел, но трещина в их отношениях осталась.

Эльдар Рязанов. И все равно власть Лили Юрьевны над Маяковским была безмерна?

Василий Катанян. Она была безмерна всегда, до конца его дней. Если бы Лиля дала ему надежду даже в двадцать девятом или в тридцатом году, все бы могло, на мой взгляд, измениться. Еще в двадцать девятом Маяковский говорил, что если бы Лилечка сказала, что зимой босиком с Таганки надо на цыпочках идти в Большой театр, то, значит, так и надо было делать...

Слушай, а тебе не кажется, что мы напоминаем двух старых сплетниц, которые изо всех сил моют кости...

Эльдар Рязанов. Я лично себя ощущаю мерзким желтым писакой, который пытается залезть в койку героини и все вынюхать.

> Любовь мою,
> как апостол во время оно,
> по тысяче тысяч разнесу дорог.
> Тебе в веках уготована корона,
> а в короне слова мои —
> радугой судорог.
> Радуйся,
> радуйся,
> ты доконала!
> Теперь
> такая тоска,
> что только б добежать до канала
> и голову сунуть воде в оскал.
> Сердце обокравшая,
> всего его лишив,
> вымучившая душу в бреду мою,

прими мой дар, дорогая,
больше я, может быть, ничего не придумаю.

После беседы с Василием Васильевичем наша съемочная группа, прихватив с собой Катаняна, появилась на выставке, посвященной 100-летнему юбилею Владимира Владимировича Маяковского. Выставка проходила в Литературном музее. Подавляющее большинство экспонатов здесь выставлялось в первый раз. Их не видел до сих пор никто и никогда.

Василий Катанян. Примечательно, что здесь, впервые в маяковсковедении, существует специальный зал, посвященный Лиле Юрьевне Брик.

Скульптурный автопортрет Лили Юрьевны — эту голову она слепила в середине тридцатых годов, ведь она три года училась ваянию в Мюнхене. И хотя скульптурой занималась редко, но все-таки в тридцать седьмом году сделала голову Маяковского, эта ее работа экспонируется в музее поэта.

Эльдар Рязанов. Лиля Юрьевна была очень талантливой дилетанткой. Она лепила, занималась балетом, снималась в кино. Была кинолента, называвшаяся «Закованная фильмой», по сценарию Маяковского. Там играли Маяковский и Лиля Брик. Она, естественно, героиня.

Василий Катанян. Это фильм восемнадцатого года. Маяковский написал сценарий специально для нее и для себя. Он в фильме изображал художника, она — танцовщицу, звезду экрана. Художник ее похищал, но она тосковала по кинематографу, по своим коллегам — звездам того времени: Асте Нильсен, Чарли Чаплину, Ивану Мозжухину. Она скучала по белому полотну экрана. Оживлялась лишь на фоне белой кафельной печки или белой скатерти, кото-

Плакат Маяковского к фильму

рые напоминали ей экран. Эту скатерть художник вешал на стену, чтобы ее удержать.

Маяковский приходил со студии, приносил домой срезки от монтажа, то есть то, что оказывалось лишним при монтаже ленты. И Лиля Юрьевна сохранила эти срезки.

Эльдар Рязанов. И по этим срезкам фильм восстановили?

Василий Катанян. Да. Частично, конечно. Любовь их ожила на экране в наши дни.

Эльдар Рязанов. Лиля Брик писала сильные и очень свежие литературоведческие статьи. Кроме того, переводила пьесы, и эти пьесы ставились на сцене театров. А еще она вместе с Жемчужным была режиссером художественного фильма «Стеклянный глаз». Но я думаю, главный ее талант, пожалуй, заключался в том, что она внушала вдохновение. Ей посвящено огромное количество стихов. На русском языке и на множестве других. Немало художников рисовали ее портреты. Среди них Маяковский и Тышлер.

Василий Катанян (подводя меня к витрине с записками Маяковского). Надо поблагодарить Лилю Юрьевну за то, что она сохранила записки, которые Маяковский писал ей по самым разным поводам — и по пустяковым, и по серьезным. В конце каждой писульки нарисован щенок. Иногда подписано: «Щен».

Она вспоминала: «Володя научил меня любить собак». Так оно и было. Лиля Юрьевна симпатизировала многим зверюшкам, но собаки у нее были на первом месте.

Помню, была такая записка Маяковского: «Не видели ли вы хороших собаков и кошков?»

Лиля Юрьевна писала в книге под названием

Лиля Юрьевна вспоминала:
«Володя научил меня любить собак...»

«Щен», что Маяковский сам чем-то напоминал щена. Был огромный, задиристый и такой же ласковый, как щенок.

Эльдар Рязанов. Я вижу записную книжку Маяковского. Знаю, что руками такие ценности нельзя трогать... Но я совершил святотатство. Естественно, оно произошло под надзором смотрительниц музея. Тут написано: «В Берлине... в Париже...»

Василий Катанян. Записная книжка Маяковского, с которой он отправлялся за границу, поначалу была абсолютно чистой. И Лиля Юрьевна ему написала, что он должен купить ей за границей.

Эльдар Рязанов. Это ее почерк или его почерк?

Василий Катанян. Это ее почерк.

Эльдар Рязанов. Понятно. Это то, что каждая жена пишет мужу, когда он едет за рубеж без нее, — что там надо купить.

«Вязаный костюм, перчатки, сумку, носовые платки. Очень модные мелочи». Читаем дальше. «Духи, пудра, карандаши для глаз. Автомобильные перчатки... Автомобиль»! Вот это да! Такого поручения мне никогда не давали.

Василий Катанян. Ты не Маяковский... А твоя жена не Лиля Брик.

Эльдар Рязанов. Этому, между прочим, я рад. В особенности второму. Значит, машина... «Лучше закрытая, со всеми запасными частями, с двумя запасными колесами и сзади чемодан». Это еще не все. «Проекционный аппарат». А последняя запись очень трогательная: «Осе рубашки, воротник номер тридцать девять».

Василий Катанян. Машину, конечно, Маяковский привез. Это известно. И Лиля Юрьевна была первой женщиной в Москве за рулем.

Эта та самая машина. Подарок Маяковского любимой

Вероника Полонская, играющая западную кинодиву

Эльдар Рязанов. Здесь еще написано: «Очень, очень люблю». Это другой почерк, не тот, который про машину писал.

Василий Катанян. Это крупный почерк, почерк Маяковского. Он записывал в этой книжке, где свидание, время или адрес. А вот этот мелкий почерк — Татьяны Алексеевны Яковлевой. В одной записной книжке и поручения Лили Юрьевны, и свидания с Татьяной. Татьяна Алексеевна вспоминала, что они ходили по магазинам, вместе выбирали костюм для Лили Юрьевны, и Маяковский советовался с ней относительно цвета «Рено», который тоже должен был купить для Лили Юрьевны.

Лиля Юрьевна Брик знала о многих романах Маяковского: и о Наташе Брюханенко, и о Веронике Полонской, и еще о каких-то, но единственная, к

Вместе со своей парижской возлюбленной Татьяной Яковлевой Маяковский выбирал костюм для московской возлюбленной Лили Брик

кому она ревновала, — это Татьяна Яковлева. Дело здесь было не только в физической измене, а в том, что этой женщине поэт посвятил несколько стихотворений.

Эльдар Рязанов. Ходили слухи, что именно Брики помешали Маяковскому получить визу для поездки в Париж. Они боялись, что он женится на Татьяне Яковлевой. Им приписывались связи с ГПУ.

Василий Катанян. Сейчас журналист Скорятин провел очень скрупулезное исследование и нашел массу ценных документов. Но он нигде не обнаружил никаких следов того, что Маяковскому отказали в визе. Или что тот просил о визе.

Эльдар Рязанов. Зато он нашел удостоверение сотрудника ГПУ на имя Лили Юрьевны Брик... Это производит сокрушительное впечатление. Но дело в том, что в те годы многие относились к ГПУ иначе. Эта пресловутая фраза Дзержинского насчет холодного ума, горячего сердца и чистых рук имела хождение в среде интеллигенции. И в кругу близких друзей Бриков и Маяковского было очень много чекистов.

Я считаю, что мы обязаны посмотреть на этот факт с точки зрения той эпохи, а не нынешних людей, которые знают об ужасах тридцать седьмого года.

Мы подошли к витрине, где было выставлено предсмертное письмо Маяковского. Там, в частности, написано: «Лиля — люби меня. Начатые стихи отдайте Брикам, они разберутся».

Как говорят —
«инцидент исперчен»,
любовная лодка
разбилась о быт.

Я с жизнью в расчете
и не к чему перечень
взаимных болей,
бед
и обид.

Эльдар Рязанов. Она действительно по-своему любила Маяковского и заботилась о нем. И ее очень угнетало, что вскоре после смерти Владимира Владимировича, у которого было много литературных врагов, начались всякие гадости. Маяковский исчез со страниц печати, его перестали публиковать. И тогда Лиля послала письмо Сталину, где написала, что Маяковский был самым крупным, значительным пролетарским поэтом, что к его памяти проявляется невероятное небрежение. Это был смелый, рискованный шаг. Никто же не знал, как относится товарищ Коба — лучший друг советских поэтов — лично к Маяковскому. Это могло для нее обернуться трагедией.

Но вдруг она была приглашена в Центральный Комитет ВКП(б) к Ежову. Ежов показал ей резолюцию Иосифа Виссарионовича на ее письме. Там было написано, насколько я помню, что «Маяковский был и остается лучшим, талантливейшим поэтом советской эпохи. И пренебрежение к его памяти преступно». И еще были такие слова, что «товарищ Брик права». После этого Триумфальную площадь назвали именем Маяковского. Одну из станций метро назвали «Маяковская», театр Революции был переименован в театр Маяковского. Его стали впихивать в школьные учебники. Как всегда у нас, меры не знали. Пастернак в своих воспоминаниях написал, что «Маяковского стали насаждать, как картошку при Екатерине, и он умер второй раз».

Второй муж Лили Юрьевны, герой Гражданской войны и командир Червонного казачества Виталий Примаков. Умен, образован. К тому же очень красив!

Через некоторое время после самоубийства Владимира Владимировича Лиля Юрьевна вышла замуж за Виталия Марковича Примакова, героя Гражданской войны, кавалериста, человека легендарной храбрости, который руководил Червонным казачеством. Казалось бы, Лиля Юрьевна, — эстетка, художница, актриса, — и военный чурбан!

Василий Катанян. Он был очень интеллигентным человеком.

Эльдар Рязанов. И образованным человеком, не лишенным литературного дарования. Случилась настоящая любовь. И Лиля вдруг начала вести кочевую жизнь жены военного. Но вскоре Примакова арестовали вместе с нашими легендарными военачальниками Тухачевским, Уборевичем, Блюхером.

Василий Катанян. В архиве я нашел протокол обыска. Там была одна интересная вещь. Среди перечня того, что взято, значится: «Портсигар желтого металла с надписью «Николаша»». А Лиля помнила надпись на этом золотом дамском портсигаре полностью: «Самому дорогому существу. Николаша». Это был ни больше ни меньше как портсигар, подаренный Николаем Вторым своей любовнице, знаменитой балерине Матильде Кшесинской. Этим портсигаром молодое Советское правительство наградило Примакова за храбрость во время Гражданской войны.

Эльдар Рязанов. Значит, он подарил его Лиле Юрьевне, поскольку это был дамский портсигар, а она тогда курила. А потом Примакова забрали, составили акт: «Желтого металла, Николаша». И золотой портсигар безвозвратно исчез в недрах какой-нибудь гэпэушной семьи...

Прошло еще немного времени, и Василий Абгарович Катанян, отец моего друга, ушел к Лиле Юрьевне Брик, оставив Васину мать. Поэтому вы можете представить себе, какие чувства испытывала Галина Дмитриевна к счастливой сопернице. Вот что пишет в своих воспоминаниях мать Василия Васильевича о Лиле Юрьевне:

«Когда-то я очень любила ее. Потом ненавидела, как только женщина может ненавидеть женщину. Время сделало свое дело. Я ничего не забыла и ничего не простила. Но боль и ненависть умерли. Глупо изображать ее злодейкой, хищницей, ловкой интриганкой, как это делают мемуаристы, не понимая, что этим они унижают Маяковского. Она — сложный, противоречивый и, когда захочет, обаятельный человек. В чем-то она вровень с Маяковским. Я не слыхала от нее ни одного банального слова. Она очень щедрый и широкий человек. У нее безукоризненный вкус в искусстве, всегда свое собственное, самостоятельное, ни у кого не вычитанное мнение обо всем». Эти строки говорят не только о Лиле Брик, но и об уме и большом сердце Галины Дмитриевны.

Многих людей, да и саму Лилю Юрьевну, удивляло, что ее не тронули в 37-м году. Разгадка была найдена много позже. Историк Рой Медведев докопался до документов. В проскрипционных списках, представленных Сталину Ежовым, было имя и Лили Брик. Но против ее фамилии Сталин написал: «Не будем трогать жену поэта»...

В 60-х годах по распоряжению Суслова решили «исправить» биографию Маяковского. Немножко очистить Владимира Владимировича от еврейского окружения Бриков. Я помню, как на меня совер-

Вот как «очищали» Маяковского от еврейского окружения Бриков. Верхнее фото снято до «очищения«, второе (то же самое) после

шенно неизгладимое впечатление произвели две публикации одной фотографии. Маяковский снят с Лилей Юрьевной у дерева. Он стоит, как бы ее чуточку приобняв. А потом я видел эту же фотографию, Маяковский стоял в той же позе, но вместо Лили Юрьевны был ствол дерева.

Василий Катанян. Появились разгромные лживые статьи в «Огоньке». Имя ее стало вычеркиваться отовсюду. В новых изданиях сняли все посвящения Маяковского Лиле. Из его нового собрания сочинений изымали любое упоминание о ней.

Эльдар Рязанов. Вы представляете, что испытывала очень немолодая женщина, когда на нее с лютой ненавистью обрушилось мощное тоталитарное государство. На ее глазах стали выжигать каленым железом все ее существование. У нее было ощущение, что ее просто нету, не было.

Вот что она писала сестре, Эльзе Триоле, в письме от 7.11.68: «Жить здорово надоело, но боюсь, как бы после смерти не было еще страшнее...»

Василий Катанян. Так шло месяц за месяцем, год за годом. Потом закрыли музей в Гендриковом переулке. В этой квартире они жили втроем.

Наша съемочная группа приехала в Гендриков переулок, который сейчас носит имя Маяковского. Нас встретила запертая дверь, ведущая в бывший музей. Местные женщины, с которыми я вступил в беседу, поведали, что там внутри какой-то хлам, бутылки из-под шампанского. Музей давно закрыт, ключа нет, найти невозможно. Все разрушено, разгромлено — и только ради того, чтобы из жизни Маяковского выбросить Лилю Брик.

Эльдар Рязанов. Расскажи, как Лиля Юрьевна познакомилась с Сергеем Параджановым.

Лиля Юрьевна восхищалась Сергеем Параджановым. Благодаря ее хлопотам великого режиссера освободили из заключения в лагере на год раньше срока

Василий Катанян. Лиля Юрьевна посмотрела «Тени забытых предков» и пригласила Сережу к обеду. Он пришел, и они сразу бросились друг к другу. Взаимная симпатия возникла мгновенно. Сережа начал, конечно, все смотреть, что тут висит.

Эльдар Рязанов. В этой квартире? (Съемочная группа вернулась в квартиру Лили Юрьевны.)

Василий Катанян. Да. Тут ковры, а он же обожал ковры, картины. Он не обратил внимания ни на одну книгу, книги его совершенно не интересовали. Завязался разговор, и выяснилось, что Сережа никогда не читал Маяковского, ни строчки. Лилю Юрьевну это ничуть не обидело, только удивило: «Как, Сергей?! Даже в школе? В школе же силой заставляют его изучать». А он говорит: «Вы знаете, Лиля Юрьевна, в школе я плохо учился. У нас почти каждый день были обыски дома». Его отец был директор комиссионного магазина. «Как только милиционеры начинали подниматься по лестнице, меня заставляли глотать драгоценности: бриллианты, сапфиры, изумруды. Я глотал, глотал, глотал, они ничего не находили и уходили. А утром меня в школу не пускали, меня сажали на горшок через дуршлаг». Представляешь, что придумал! «И я пропускал занятия. Наверно, вот тогда мы и проходили Маяковского». Так он ей объяснил свое невежество.

Она его сразу полюбила за незаурядность, за талант, за человеческую щедрость, за веселье, за то, что он такой из ряда вон выходящий.

Эльдар Рязанов. И этого из ряда вон выходящего человека отправили в лагерь.

Василий Катанян. Да. Они с Лилей Юрьевной виделись до этого всего два раза. И за эти две встречи подружились и прониклись любовью друг к другу.

Арест Сережи был сильным ударом для Лили Юрьевны, как будто посадили самого близкого человека. Все годы она писала Сереже письма, и он ей из лагеря отвечал. Он слал ей совершенно потрясающие коллажи. На своей фотографии шестьдесят четвертого года, которая оказалась с ним в тюрьме, он нарисовал нимб из колючей проволоки. И написал: «ЛЮБ, ЛЮБ, ЛЮБ».

Эльдар Рязанов. Получается «люблю». Да, я вспомнил, что ты забыл рассказать про кольца, которыми обменялись Лиля Юрьевна и Владимир Владимирович.

Василий Катанян. Да, да. На кольце Маяковского Лиля Юрьевна заказала выгравировать его инициалы «В.М.», а он на ее кольце — «ЛЮБ ЛЮБ», которые по кругу читались как «ЛЮБЛЮ, ЛЮБЛЮ, ЛЮБЛЮ».

Теперь к истории освобождения Параджанова. Он получил пять лет. Лиля Юрьевна боролась, писала письма во все инстанции, но ничего не получалось. Тогда она решила «натравить» на Брежнева Арагона. Влияние Луи Арагона на Западе было огромно, он был крупнейшим французским поэтом и членом французской компартии. После того, как наши войска вторглись в Чехословакию, после процессов над Даниэлем и Синявским он прервал все отношения с Советским Союзом.

Наши руководители искали повод и предлог, чтобы помириться с Арагоном. Сделали хитрый ход — был издан указ о награждении его орденом Дружбы народов. Первым побуждением Арагона было отказаться. Но Лиля Юрьевна уговорила его не отказываться, приехать и взять орден ради Параджанова. Арагон на аудиенции у генсека попросил за Сергея.

Брежнев отнесся к этому благосклонно, хотя никогда не слышал о таком режиссере. И буквально через неделю Параджанова освободили — ровно на год раньше назначенного срока. Это сделала Лиля Юрьевна в свои восемьдесят шесть лет.

Сережа, освободившись, полетел прямо к себе домой в Тбилиси. И ни словом не дал о себе знать. Мы были страшно поражены, что он не позвонил Лиле Юрьевне. Но она говорила: «Ну, ничего. Он только что прилетел». Потом его нет неделю, десять дней, две недели... Я говорю: «Он негодяй, мерзавец, что не дает о себе знать, даже не звонит». А Лиля Юрьевна возражает: «Это несущественно. Главное, что он на свободе».

Эльдар Рязанов. И чем это кончилось?

Василий Катанян. Потом он приехал, бывал у нее. Они сидели рядом, не могли наговориться. Он слал ей подарки. И хоронил ее, кстати сказать, тоже он. Специально прилетел на похороны. Он сорвал ветку рябины тут же, рядом с террасой, и эту ветку рябины положил на гроб. Это было красиво. Он был настоящий художник.

> Может быть, от дней этих,
> жутких, как штыков острия,
> когда столетия выбелят бороду,
> останемся только
> ты
> и я...

Вместе с В.В. Катаняном наша съемочная группа приехала в район Звенигорода.

Эльдар Рязанов. Вася, расскажи о последних днях Лили Юрьевны.

Василий Катанян. Это было на восемьдесят седьмом году ее жизни. Она упала у себя дома, в спальне,

На границе «Лилиного поля» и леса лежит огромный валун.
На нем выбиты три буквы «Л.Ю.Б.».
Люди, желающие почтить память Лили Юрьевны,
кладут цветы на этот камень

и сломала шейку бедра. Она очень страдала от того, что, как ей казалось, стала обузой для родных и близких. А когда поняла, что больше не сможет жить как прежде, покончила с собой. Приняла таблетки, у нее были припасены именно на такой случай.

Эльдар Рязанов. Какие? Яд или?..

Василии Катанян. Снотворные таблетки. И оставила записку.

Эльдар Рязанов. И не проснулась?

Василий Катанян. Не проснулась. Она уже очень слабенькая была. В записке она просила никого не винить в своей смерти, прощалась с родными и близкими. Еще раньше она завещала развеять свой прах после кремации в чистом поле, чтобы над могилой не надругались враги. Вот здесь он и развеян. На этом самом поле, где мы сейчас с тобой находимся.

Еще одна вещь меня поразила. В тридцать четвертом году Лиля Юрьевна записала в своем дневнике: «Сегодня приснился Володя (то есть Маяковский), он совал мне в руку свой револьвер, а я его отталкивала. Но он мне говорил: «Бери, бери, все равно ты умрешь так же». Этот провидческий сон приснился и был записан на бумаге за много лет до того, что она с собой совершила. После того, как здесь развеяли ее прах, ее друзья и поклонники решили все-таки обозначить на земле место, чтоб было куда приходить. Привезли сюда огромный валун. На нем выбили три буквы «ЛЮБ», ее знаменитые инициалы. Когда приезжают люди к Лилиному полю, как его теперь называют, они кладут цветы сюда, на этот камень.

Эльдар Рязанов. Лиля Юрьевна Брик прожила свою жизнь так, как она хотела. Она была режиссером своей жизни и стала режиссером своей смерти.

Вот такой — с ироническим взлядом —
была эта великая женщина в старости...

Она умела быть грустной, женственной, капризной, гордой, пустой, непостоянной, влюбленной, умной — какой угодно. Это была обаятельная женщина, которая много знала о высокой человеческой любви и о любви чувственной.

Она прожила жизнь в сознании собственной избранности. Это давало ей уверенность. Она вошла в историю нашей литературы благодаря неземной страсти гениального человека, который посвятил ей свою жизнь. Силуэт ее стал четче на фоне уходящей эпохи. Но тем не менее эта легендарная женщина унесла с собой немало тайн. Так что загадка Л.Ю.Б. вряд ли стала меньше.

«В больницу меня везли четыре жены, из них три — бывшие...»

Режиссер Роже Вадим, урожденный Племянников.
Из своего имени Вадим сделал французскую фамилию

Прежде чем рассказывать о кинорежиссере Роже Вадиме, я хочу поведать вам, дорогой читатель, о Брижит Бардо. Эти два имени взошли на кинематографическом горизонте Франции одновременно. Итак, наша съемочная группа направлялась в офис Брижит Бардо, чтобы взять у нее интервью. Вообще-то она не общается с журналистами, но почему-то вдруг согласилась на встречу с нами. Наш микроавтобус ехал по набережной вдоль Сены. И тут мы увидели корабль — по-французски «бато-муш» — большой прогулочный туристский катер, который носит имя Брижит Бардо. Мы затормозили и вылезли из автомобиля. Рядом был пришвартован «Ив Монтан». Чуть дальше мы увидели корабли, названные именами Жанны Моро, Жана Габена и Жана Маре, нашего любимца, с которым у нас уже была сердечная беседа. Я решил, что это подходящее место, где можно рассказать об актерском, сексуальном, национальном, и не знаю еще каком, символе Франции 60-х и 70-х.

Традиция называть корабли именами не только умерших, но и живых артистов замечательна. Она говорит о том, что французы действительно любят свой кинематограф, считают его неотъемлемой частью культуры. Мне показалось, что нашим чиновникам было бы недурно последовать этому умному примеру.

Итак, немножко биографии. Брижит Бардо родилась в благополучной буржуазной семье в Нейи — это предместье Парижа. Как было тогда принято, родители отдали молодую барышню учиться балету. Не для того, чтобы наследница стала танцовщицей, а для того, чтобы хорошо двигалась. Брижит оказалась чрезвычайно талантливой. Она прошла по конкурсу одна из очень немногих. И попала в класс Бориса Князева, русского педагога, который славился и своей суровостью, и тем, что был замечательным учителем балета. Борис Князев приходил на занятия в училище с хлыстом. Иной раз он стегал нерадивых девушек-танцовщиц. Балетные барышни называли его «русский тиран». Тем не менее именно он заложил в Брижит Бардо ту пластику, по которой ее потом узнавали. Когда она была уже очень известной актрисой, ей приходилось прятаться от репортеров, надевая темные очки, парики, шляпки. Но папарацци «раскрывали» ее по походке, по неповторимой пластике.

Своим появлением в кино она была обязана другому русскому, которого звали Вадим Племянников. Так случилось, что фото Брижит попало на обложку журнала «Эль», и Вадим Племянников, который ныне известен всем любителям кино под именем Роже Вадима, обратил внимание на ее портрет. Как он сам потом писал: «Когда я ее увидел, я просто понял, что это инопланетянка». И он начал преследовать девушку. Приезжал за ней к балетному училищу, ездил за ней на машине, провожал издали до дома... Вадим был тогда репортером и работал ассистентом режиссера у некоторых известных французских мастеров. Он пригласил Брижит на кинопробы. Но ее родители дали гневный отпор: мол, шуты, комедианты, киношники — это люди второго сорта для богатой буржуазной семьи Бардо. Однако перспектива попасть в кино привлекла девушку. Она стала встречаться с Роже Вадимом. Впервые она снялась в 1952 году (ей было 18 лет) в кинокартине режиссера Буайе «Нормандская дыра». Потом мелькнула в крошечной роли, в эпизодике, в знаменитой ленте Рене Клера «Большие маневры», где блистательно играли Жерар Филип и Мишель Морган.

Роже Вадим не отставал от девушки, опекал, помогал, протежировал. Началась любовь. Через несколько лет молодые люди уломали родителей. И Брижит стала мадам Племянниковой.

Вместе с мужем она приехала на Каннский фестиваль в 1953 году. Ей было 19 лет, ее еще никто практически не знал. И тем не менее была в ней какая-то магия. Когда она входила в кафе или в отель, то и мужчины, и женщины невольно оборачивались на нее. Помимо того, что она была очень красива, в ней еще чувствовалась внутренняя независимость и сила.

На Каннский фестиваль чета Племянниковых приехала без приглашения. Они были незваными гостями.

А в это время на рейде Канн стоял американский авианосец, куда и явились на экскурсию Брижит и Роже. Там, как вы понимаете, огромное количество мужчин-моряков. Вдруг на палубе появляется молодая очаровательная блондинка с идеальной, безупречной фигурой. И тут произошло нечто такое, из-за чего Соединенные Штаты чуть не лишились своего авианосца! Вся команда корабля перебежала на тот борт, где находилась Брижит Бардо. Авианосец едва не затонул. Пришлось командирам срочно устанавливать равновесие на палубе.

В 1956 году Роже Вадим снял свою первую ленту «И Бог создал женщину», где Брижит сыграла свободную, раскованную, без сексуальных тормозов, молодую, прелестную женщину.

Говорят, что когда этот фильм шел в Техасе, то полиция не пускала в кинотеатры черных — боялась, что они слишком возбудятся и разнесут все вокруг. А в Нью-Йорке священник, бедный, несчастный священник, купил на один сеанс все билеты, чтобы никто из его паствы не увидел обнаженную Брижит. После ленты «И Бог создал женщину» к Брижит Бардо пришла неслыханная слава. Она стала легендой.

Надо честно сказать, что тут в роли бога выступил Роже Вадим. Именно он научил Брижит самым тонким нюансам поведения на экране: как надо говорить, как надо двигаться. Короче говоря, в результате Бог и Роже Вадим создали секс-символ эпохи. Брижит Бардо сразу же заняла важное место в жизни миллионов молоденьких барышень. Они стали ей подражать. Земная женщина, в каких-то свитерках, которые надевались прямо на обнаженную грудь, в затрепанных джинсах, она была понятна и похожа на своих сверстниц. Нельзя было стремиться стать такими, как персонажи Даниэль Дарье или Мишель Морган. Это были недостижимые красавицы, графи-

«И Бог создал женщину» — так назывался фильм.
А Роже Вадим создал актрису Брижит Бардо

ни, принцессы французского кинематографа. А Бардо сразу стала своей для молодого поколения многих стран.

На наши экраны Брижит Бардо ворвалась картиной «Бабетта идет на войну» и мгновенно покорила сердца наших зрителей и зрительниц.

Фильм был поставлен Кристианом Жаком, замечательным мастером комедии, которому присуще истинно французское чувство юмора. Фильмы его шли у нас и были очень популярны («Фанфан-Тюльпан», «Закон есть закон», «Если парни всего мира»).

В некоторых фильмах Брижит Бардо снималась иной раз довольно элегантно раздетой или недостаточно одетой. Это вызывало большую волну возмущения у пуритански настроенных французов. Оказывается, во Франции есть и такие.

Был, например, случай. Брижит навещала свою подругу в больнице, и в лифте с ней ехала медсестра. При виде актрисы лицо медсестры перекосилось от злости, и она вилкой, которую почему-то держала в руке, стала ее колоть. Кричала, что Брижит развратила ее сына своими фильмами, своими ролями. И та в испуге выскочила из лифта. Это был шок! А следы от вилки до сих пор остались у Брижит на руке. И подобного случалось немало. Ей плевали в лицо, угрожали по телефону, ее преследовали.

Ее работа в кинематографе постоянно сопровождалась какими-то сплетнями, репортерской грязью. Это внушило ей отвращение к своей профессии.

Когда Брижит исполнилось 34 года, она начала серьезно подумывать о том, что надо уйти из кино. Но осуществила свое желание только в 1972 году, когда ей было 38 лет. После малоудачного фильма

Брижит Бардо стала кумиром кинозрителей во всем мире

Роже Вадима, с которым она уже давным-давно развелась, «Дон Жуан-73, или Если бы Дон Жуан был женщиной», Брижит Бардо поставила на кинематографе крест.

Внешняя сторона ее жизни была прекрасна. Мировая слава, нежно-ласково-фамильярное отношение к ней соотечественников, все ее называют инициалами «Б.Б.». Фестивали, поездки, преклонение мужчин, богатые мужья — все замечательно. Во всех мэриях всех французских городов стоят бюсты или статуи Марианны — женщины, олицетворяющей Францию. Ее лепили с Брижит Бардо. В 60—70-х она была символом Франции. И лишь в 80-х годах ее сменила Катрин Денев.

Но в душе актрисы была страшная пустота. Брижит Бардо — трагическая фигура французского кинематографа. Она не любила свою работу, но все время снималась. Душевный разлад угнетал ее. Недаром у нее было шесть попыток самоубийства. Шесть! Она принимала снотворные таблетки, и резала себе вены, и совала голову в духовку, чтобы задохнуться от угарного газа. Каждый раз ее как-то удавалось вытащить. Упорное желание умереть не было маниакальной идеей. Просто каждый раз ее допекали и доводили до такого состояния, что она была готова расстаться с самым главным сокровищем — жизнью. Расскажу, почему Бардо приняла нашу съемочную группу. Последние тридцать лет своей жизни она посвятила защите животных. Занимается этим неистово, фанатично, с полной отдачей. И телевизионное интервью для России показалось ей замечательной попыткой обратиться к Российскому Президенту и Правительству нашей страны с призывом прекратить промышленную охоту на котиков, мор-

жей, песцов и прочих представителей фауны. «Я понимаю, — говорила Брижит Бардо, — что в России холодно, что носить меха — русская традиция». Но она умоляла хотя бы прекратить убивать зверей, чтобы посылать их шкуры на экспорт. Весь свой темперамент, искренность, убежденность вложила она в свое прошение. Ее слова прозвучали в телевизионном эфире, но, боюсь, нашим правителям было не до того. Куда более важные проблемы — усидеть на своем месте, утопить политического соперника, расправиться с конкурентом и недругом — были для них ближе, нежели донкихотские призывы стареющей звезды...

Однако рассказ наш все-таки не о Брижит Бардо, а о ее первом муже Роже Вадиме. Ибо его брак с молоденькой барышней, из которой он сделал кинематографическую диву, был только стартом в его режиссерской и брачной карьере. После развода они сохранили добрые дружеские отношения. Роже Вадим говорил, что у него всегда было ощущение, что они с Брижит как бы близнецы. И он всегда чувствовал, когда с ней происходит что-то неблагополучное. Однажды был такой случай: Вадим ехал в поезде и вдруг почувствовал, что с Брижит неладно. Он позвонил домой, подошел отец, Племянников-старший. Роже сказал, что с Брижит сейчас что-то случилось. Отец ответил: «Да нет, она у нас совсем недавно была. Мы с ней ужинали». Роже попросил: «Поезжай к ней, узнай, в чем дело». И отец поехал. Оказалось, что Брижит пыталась покончить с собой, и бывший свекор спас ее от неминуемой смерти. И подобные ситуации у Вадима и Брижит возникали не один раз.

Итак, пора нашей съемочной группе отправляться домой к господину Племянникову, в самый центр Парижа, на улицу Риволи, между Лувром и площадью Согласия. Центрее не бывает.

Эльдар Рязанов. Дорогой Роже! Я хочу вас поблагодарить за то, что вы нас приняли и уделили нам время. Честно говоря, в нашей стране вас знают мало. И это, по-моему, несправедливо. Мы хотим исправить эту ошибку. Тем более, ваш отец родился в России. Давайте с него и начнем!

Роже Вадим. Давайте начнем с моего отца. История проста. У моей семьи было имение недалеко от Киева. Как многие русские, которые воевали на стороне белых, родители должны были покинуть страну после революции. Мой отец приехал во Фран-

Роже Вадим был любим всеми своими женами...

цию, стал французским гражданином и французским дипломатом, консулом Франции.

Когда отец был ребенком, у них в доме жила гувернантка-француженка. Она полгода работала в России, где занималась с моим отцом, полгода трудилась в Париже, в другой семье. Гувернантка часто говорила отцу: «Ты совершенно невыносим. А вот во Франции я преподаю одной маленькой девочке, просто замечательной». И мой отец был совершенно убежден, что он — чудовище, в отличие от какой-то милой русской девочки, живущей в Париже. А девочке, как выяснилось потом, она говорила: «Вот ты здесь плохо учишься, а в Киеве у меня есть мальчик, очень послушный, очень вежливый, который прекрасно занимается».

Лет через десять-двенадцать этот мальчик и эта девочка познакомились в Школе восточных языков в Париже. Когда они заговорили о детстве, то поняли, что у них была одна и та же гувернантка. Наверное, это их сблизило еще больше. Таким образом родился я.

Эльдар Рязанов. Это правда, что ваш отец происходил из княжеского рода, начало которого идет от Чингисхана?

Роже Вадим. Семейные архивы, которые находятся сейчас в Венеции, так утверждают. История такова. Когда Чингисхан разделил свою империю между девятью сыновьями и племянниками, та часть, где сейчас находятся Венгрия и Польша, отошла к одному из племянников.

Отсюда и происходит наша фамилия «Племянников». То есть мой отец на самом деле происходил от какого-то племянника Чингисхана.

Эльдар Рязанов. В вашем лице монголы добрались все-таки и до Парижа. Правда, более цивилизованным путем, чем в эпоху Чингисхана. Скажите, пожалуйста, как вам пришла вообще в голову мысль стать кинорежиссером?

Роже Вадим. Обычно матери не посылают ребенка учиться на актера, а скорее желают, чтобы дети стали докторами, дантистами, юристами. А мне мама сказала: «Ты создан для искусства. Попробуй поучиться на актера».

Я поступил в школу драматического искусства Шарля Делона, замечательную школу. Это было сразу после войны. Мне очень понравилась театральная среда. Но хотя обо мне и говорили, что я хороший актер, я думал, что это не то, чем мне следует заниматься. Мне хотелось быть по другую сторону сцены или камеры. При этом я много писал. Не публиковался, но писал повести, драмы, сценарии. И стал из актера сценаристом. Я продал свой первый сценарий, когда мне было восемнадцать лет, — самый молодой сценарист Франции. И приблизительно в это же время я встретил потрясающую девушку, которой должно было исполниться пятнадцать лет. Это была Брижит Бардо. Она совсем не думала, что станет актрисой. Ее родители, буржуа, не хотели, чтобы мы были вместе. Они сказали: «Вадим, если вы хотите в будущем жениться на нашей дочери, вы должны составить себе какое-то положение».

Для начала я стал журналистом в «Пари-Матч». Там у меня была масса друзей журналистов, совершенно замечательных, не то что сейчас. Потом я начал работать театральным режиссером. Это был случайный ход вещей. Мысль отважиться стать кинорежиссером пришла ко мне постепенно.

Эльдар Рязанов. Это правда, что вы увидели портрет Брижит Бардо на обложке журнала «Эль», она вам очень понравилась, и вы решили познакомиться с ней?

Роже Вадим. Это правда. Часто легенды выдумывают, но это правда. Она не была фотомоделью, но редактор журнала «Эль» была подругой матери Брижит и сказала ей: «Мне нужна девушка, которая не фотомодель, не актриса. Обычная французская девушка». Таким образом Брижит попала на обложку журнала. А я в то время писал сценарий о молодежи, и нам нужна была героиня семнадцати-восемнадцати лет. Я показал режиссеру обложку и сказал, что такая барышня нам и нужна. Режиссер написал родителям, но те слышать не хотели о кино. А Брижит это было интересно: сняться в кино, посмотреть на режиссера, увидеть всю киношную атмосферу. Она пилила родителей до тех пор, пока ей не позволили встретиться с режиссером. И именно когда она приехала к режиссеру, я с ней и познакомился.

Эльдар Рязанов. Значит, именно вы увлекли ее кинематографом?

Роже Вадим. Да, это так. Если бы я не увидел Брижит на обложке журнала, думаю, она никогда не стала бы сниматься в кино. Она всегда считала, что ее предназначение — танцы. Брижит была прекрасной балериной, очень одаренной. Танцевать — это была ее страсть. Думаю, она решила стать актрисой, чтобы выйти за меня замуж. Ибо поняла: мое призвание — кино. Наверно, поэтому Брижит никогда по-настоящему не любила профессию актрисы. Она была роскошная звезда, с прекрасными внешними данными. Но не хотела углубляться, вникать по-настоящему в ремесло актрисы. Когда в ответ на вопросы, любит ли она кино, репортеры слышали: «Нет, меня оно раздражает», — они считали, что актриса ломается. Но на самом деле Брижит говорила правду. Конечно, у нее были прекрасные моменты в ее киножизни, интересные роли. Но кино ее не завораживало.

Эльдар Рязанов. Сценарий фильма «И Бог создал женщину» вы писали специально для Брижит, чтобы проявить ее особые уникальные качества?

Роже Вадим. Это не совсем верно. Когда я встретил Брижит, я уже написал много новелл, сценариев. Но поскольку я хорошо ее знал, я смог адаптировать мой сценарий к ее манере игры. Надо было спрятать ее недостатки и выделить достоинства. Мне было очень приятно работать с ней, но я не писал сценарий специально для нее.

Эльдар Рязанов. В своей книге «От звезды к звезде» вы писали, что Брижит не требовался учитель, ей скорей требовался садовник, который должен был ее «поливать». Обламывать ее, уничтожать манеры, привычки — было бы бессмысленно и варварски.

Роже Вадим. Образ садовника совершенно справедлив. Ей надо было помогать, хвалить ее. Брижит не тот человек, которого можно было заставить делать что-то, чего она инстинктивно не хотела...

Но я хотел бы вернуться ненадолго в контекст той эпохи. В то время кино менялось. Это было еще до «новой волны», но чувствовалось — что-то произойдет. Классическое кино довоенной поры, которое создало массу шедевров, должно было измениться, эволюционировать. Тогда не было принято допускать к режиссуре молодых. Средний возраст постановщиков был такой, какой у меня сейчас — около шестидесяти. А мне было всего двадцать семь лет. Для того времени мой фильм стал новым, необычным. Во-первых, диалоги были более естественными, ближе к жизни. Кроме того, в ленте присутствовал определенный вызов традиционной буржуазной морали. И он дал толчок движению сексуального освобождения женщины.

Фильм имел огромный отклик во Франции. Критики сильно его ругали, уничтожали Брижит Бардо. Говорили, что у нее нет будущего в кино. С картиной случилось то, что называется «эффект эхо». Она стала в первую очередь очень известна за рубежом, и только тогда во Франции поняли, что прошли мимо важного явления в кинематографе, не заметили рождения настоящей кинозвезды.

Эльдар Рязанов. Поговорим о следующей жене, об Аннет Штройберг. Она — датчанка, живущая в Париже. Вы из нее тоже сделали актрису?

Роже Вадим. Поначалу она не думала об актерской карьере. У нас родилась дочь Натали. А потом я стал снимать фильм «Опасные связи» по роману Шодерло де Лакло. Главные роли играли Жанна Моро и Жерар Филип. Аннет иногда приезжала на съемки и постепенно заразилась этим вирусом. Она сыграла в этой ленте маленькую роль женщины, которая разрывается между необходимостью остаться верной мужу и страстью к другому мужчине. На эту роль требовалась артистка с чистым невинным лицом. Я рискнул, дал эту роль жене. Она сыграла очень хорошо. Потом сыграла еще в одной моей картине, в фильме ужасов. Играла роль женщины-вампира. Здесь она снималась уже под именем Аннет Вадим. После того как мы расстались, она снялась в двух-трех средних фильмах в Италии. Но карьеры артистки так и не сделала.

Вторая жена Роже Вадима датчанка Аннет Штройберг, впоследствии актриса Аннет Вадим

Эльдар Рязанов. Итак, Аннет родила дочку Натали. Оставила ее вам. Как я знаю, вы ее и воспитывали. А потом Катрин Денев была некоторое время замечательной мамой для Натали. Вы сами пишете об этом в своей книге... Когда вы встретились с Катрин Денев, вам было тридцать два года, а ей семнадцать?

Роже Вадим. Думаю, да. Приблизительно может быть год туда-сюда. Она тогда не была актрисой. Прекрасной актрисой была ее сестра, Франсуаза Дорлеак, которая как раз начала завоевывать популярность. А Катрин в то время говорила, что не хочет сниматься в кино.

Эльдар Рязанов. По-моему, Катрин Денев впервые снималась в Вашем фильме «Порок и добродетель», где в главных ролях были заняты Анни Жирардо и Робер Оссейн?

Роже Вадим. Да, я дал ей там маленькую роль. И потом немного помогал режиссеру, который работал с ней над другим фильмом. Но первая роль, которая у нее была, это действительно в фильме «Порок и добродетель».

Эльдар Рязанов. Сюжет этой картины был взят из книги маркиза де Сада и перенесен во времена оккупации Франции нацистами?

Роже Вадим. Да. Это на самом деле свободное изложение книги маркиза де Сада «Жюстина». Я перенес действие в период немецкой оккупации. Но де Сада, конечно же, нельзя привязать к какой-то одной эпохе. Он не является типичным продуктом только восемнадцатого века, он может существовать в любое время. Перенести сюжет в период оккупации, в совершенно сумасшедший ужасный мир, было довольно сюрреалистично. Мне показалось, что это хорошая мысль.

Эльдар Рязанов. Почему вы были законным мужем Брижит Бардо, но не женились на Катрин Денев? Она ведь тоже потом стала символом Франции?

Роже Вадим. Первый раз я женился потому, что родители Брижит не хотели, чтобы мы жили вместе без брака. Во второй раз — потому, что отдавал себе отчет, что Аннет Штройберг, маленькая датчанка, затерянная в Париже, будучи только любовницей, страдает от этого. Я женился на ней, чтобы доставить ей удовольствие. А что касается Катрин Денев...

Когда Роже Вадим встретился с Катрин Денев, ему было 32 года, а ей — 17

Несмотря на рождение Кристиана, мы не были убеждены, что будем всегда жить вместе. Мы чуть было не поженились на Таити однажды, но все-таки этого не произошло. Мы оба предчувствовали, что некоторое время спустя разойдемся.

Эльдар Рязанов. Вы писали в одной из своих книг, что из Нью-Йорка вам позвонила Аннет Штройберг и сказала: если вы женитесь на Катрин Денев, то она заберет дочку Натали. Вы боялись, что она может выполнить свою угрозу, и предложили Катрин Денев отложить брак на потом. Катрин согласилась. И вы тогда подумали, что в этот момент для себя она решила: этот брак отложится навсегда. Так ли это?

Роже Вадим. Кто знает... Может быть...

Эльдар Рязанов. Я читал в вашей книге забавную историю. Когда вы уже были женаты на Джейн Фонда, она куда-то уехала. А вы загуляли с друзьями до утра...

Роже Вадим. Я всегда был очень рассеян. Но тут случился некий перебор. Хотя объяснить можно. Когда я встретился с Джейн Фонда и мы с Катрин расстались, я уехал жить в другие апартаменты. Это было в начале наших взаимоотношений с Джейн. Она уехала на два дня в Швейцарию. А я где-то провел вечер, видимо, весело. А потом вернулся к себе, на старую квартиру, где полтора года прожил с Катрин. Машинально. Ключи у меня были, я открыл дверь вошел, начал раздеваться, чтобы лечь в кровать...

И тут услышал голос Катрин: «Что ты делаешь?» Эту ночь я завершил в ссылке на диванчике в столовой.

Эльдар Рязанов. Что вы чувствуете в связи с тем, что две женщины, скульптуры которых при их жиз-

Катрин Денев, так же, как и Брижит Бардо, несколько лет была символом Франции. Ее скульптура стояла в мэрии каждого французского города

ни стояли в каждой мэрии Франции, принадлежали вам?

Р*оже Вадим (улыбнулся).* Думаю, я должен был баллотироваться в мэры. А может, и в Президенты.

Эльдар Рязанов. Отдав дань французскому патриотизму, давайте перейдем к вашей американской странице, вернее, к вашей американской жене Джейн Фонда.

Роже Вадим. У нее уже была определенная известность. Ее главной проблемой было то, что она еще не стала Джейн Фонда, а оставалась дочкой Генри Фонда, одного из самых великих актеров. В Голливуде она снялась в паре фильмов в милых, симпатичных ролях. Ее называли маленькая Брижит Бардо из Голливуда. Она была старлеткой, которую принимали за сексуальную кошечку и дочку своего папы. Ей только предстояло создать себе собственное имя. Джейн — удивительная женщина, с большим мужеством. Обычно актрисы начинают в Европе, а потом едут завоевывать Голливуд. А Джейн поступила наоборот: покинула Голливуд и поехала во Францию, чтобы завоевывать известность.

Когда я встретился с ней, мне не пришлось уговаривать ее стать актрисой, мне нужно было помочь ей найти свое место в искусстве. И я думаю, что в этом ей сильно помог. Я снял с ней четыре фильма. Один из них получился очень занятным. Он намного опередил свое время. Это была «Барбарелла». Фильм содержал в себе много условных, фантастических, странных вещей, которые потом взяли на вооружение американские режиссеры. Там была потрясающая сцена, где ее пытают птицы...

Эльдар Рязанов. Это было до фильма Хичкока «Птицы»?

*Следующая жена Вадима Джейн Фонда,
дочь великого американского артиста Генри Фонда.
Роже снял с Джейн четыре фильма*

Роже Вадим. По правде говоря, это было взято из французских комиксов. Тогда я не думал о фильме Хичкока. Но, конечно, есть аналогия.

В Париже Джейн удалось преуспеть. Когда она покинула Францию, чтобы вернуться в США, то въехала в Голливуд уже как Джейн Фонда. Мои фильмы с ее участием сделали ее звездой.

Был и другой аспект, о котором люди не знают. Я еще занимался и ее политическим воспитанием. Она приехала из Америки с примитивными стереотипами и предубеждениями в политике. Благодаря встречам с людьми, с которыми я ее знакомил, например, с Андре Мальро и другими моими друзьями, Джейн узнала, что пропагандистский обман в ее стране был таким же явным, как и в коммунистических государствах. Она смогла более критически оценить политику своей страны. А поскольку Джейн никогда ничего не делает наполовину, то стала заниматься политикой чересчур активно. Ее пришлось даже тормозить.

Эльдар Рязанов. Расскажите, как случилось, что, когда вы повредили на съемке плечо, вас везли в больницу ваши четыре жены. В том числе три бывшие. Думаю, не ко всякому мужчине была бы проявлена такая женская солидарность.

Роже Вадим. Моя последняя жена Мари-Кристин Барро (кстати, племянница великого французского актера, мима и режиссера Жана-Луи Барро. — *Э.Р.*), с которой я счастливо живу, и я дружим со всеми моими бывшими женами. Например, три дня назад мы обедали у Брижит Бардо. Мы встречаемся и с другими моими бывшими супругами. Отношения между ними — прекрасные. Так вот, в тот день, когда я разбил плечо, получилось смешно, потому что произошло совпадение: Аннет Штройберг приехала ко мне, Катрин Денев снималась на соседней съемочной площадке, а Брижит заехала к какому-то своему другу. А у меня в павильоне находилась Джейн Фонда, которая тогда была моей женой. И когда они узнали, что я разбил плечо, все дружно сели в машину «Скорой помощи» и отвезли меня в госпиталь.

Эльдар Рязанов. Вы, наверное, очень хороший парень... Теперь деликатный вопрос. Вернее, неделикатный. Роже, наверное, для вас не секрет, что немало людей, среди них и обыватели, журналисты, считают вас, как бы сказать, луной, которая, как из-

Это не свадебное фото Вадима и Катрин Денев. На съемочной площадке Катрин в роли... невесты

вестно, сама не светит, а отражает чужой свет. Что, мол, вы как художник самостоятельной ценности не представляете. Вам наверняка известна подобная точка зрения?

Роже Вадим. Ну, если мы будем говорить только о моих женах, которых я сделал знаменитыми, так можно вовсе забыть о том, что я в первую очередь режиссер, сценарист и писатель. И еще, наверно, все задают вопрос: а чем он привлек таких замечательных женщин? Но это лучше у них спросить. Я прекрасно понимаю средства массовой информации, сам был журналистом. Гениев было много, великих режиссеров было много. Режиссеров, которые женились на известных актрисах, было много. Но я довольно уникальный случай в области кино. Я не женился на звездах. Я встречал девчонок, которые были совершенно неизвестны никому. У них даже не было особо яркой внешности. Когда я встретил Катрин Денев, никто не считал, что мне повезло. Все говорили: «Ее сестра Франсуаза Дорлеак значительно лучше». Когда я встречался с Брижит Бардо, никто мне не говорил: «Ах, какая чудная невеста».

Но эти две женщины стали звездами. А потом я помог Джейн Фонда. С одной стороны, мне это приятно, ведь часть моего ремесла — создавать актрис. И уметь их найти. С другой стороны, это несколько затеняет мой талант режиссера. Но и льстит мне. Значит, у меня хороший вкус. И я умею делать женщину свободной, а не закрепощать ее.

Но рецензенты и некоторые средние журналисты просто ненавидят меня.

Практически вся критика моих фильмов очень субъективна. Кинокритики мне завидуют. Они ждут выхода картины, чтобы оскорблять меня. Разумеет-

Роже Вадим помог Джейн Фонда стать Актрисой с большой буквы

ся, есть и такие, кто меня защищает. Они пишут, что я остаюсь самим собой, что мои фильмы идут по всему миру. Но целая свора критиканов постоянно меня обхаивает. С этим ничего не поделаешь. Такова моя участь...

Эльдар Рязанов. Расскажите, пожалуйста, о ваших детях.

Тут, пусть простит меня читатель, я немного запутался. Роже начал сыпать именами. Потом выяснилось, что в 78—79-м годах, когда он работал в США, у него была еще одна жена — Катрин Шнайдер (слава Богу, не актриса), которая родила сына Ваню. Поэтому я просто процитирую, что говорил этот симпатичный жизнелюб, женовед и многодетный отец. А читатель пусть сам разберется, если сможет.

Эльдар Рязанов (уточняя). Четыре из ваших пяти жен подарили вам детей. Итак: Аннет — дочку Натали, Катрин Денев — сына Кристиана, Джейн Фонда — дочку Ванессу и Катрин Шнайдер — сына Ваню. Скажите, как они между собой? Встречаются, дружат ли, приезжают ли к вам на ваш день рождения, чтобы поздравить вас? Как этот «колхоз» существует, очень интересно?

Роже Вадим. У моих детей и жен друг с другом прекрасные отношения. Это даже стало сюжетом моего последнего фильма. Ваня, мой младший сын, и его мама Катрин Шнайдер живут на третьем этаже нашего дома. У Мари-Кристин, моей нынешней замечательной жены, с Катрин полная симпатия. Мари-Кристин и Джейн Фонда дружат. Джейн и Брижит — тоже. Они все вместе в лучшем смысле слова прекрасная семья.

Все мои четверо детей, а также дети моих жен

Последняя жена Вадима Мари-Кристин Барро, племянница великого французского театрального режиссера и актера Жана-Луи Барро

не от меня, — их сейчас более десяти — все они считают себя братьями и сестрами. Это очень приятно. Думаю, это произошло благодаря двум вещам. Я никогда не создавал драм в моменты расставания с женщинами. И я всегда занимался с детьми. Мамы доверяли мне детей, и наших общих, и от других мужей. Они знали, что мне можно доверить самое дорогое. И поэтому у нас у всех дивные взаимоотношения.

В день моего рождения все, кто может приехать, всегда присутствуют. В последний раз была Ванесса, которая закончила университет в Америке, приехала Джейн Фонда, были Катрин Денев, Катрин Шнайдер, Аннет Штройберг и, естественно, Мари-Кристин Барро. И новый муж Джейн Фонда — Тед Тернер, и бывший муж Джейн Фонда — Том Хейден, и все дети. Было человек тридцать. А готовили еду для всех я и Тед Тернер.

По-моему, пришла пора заканчивать эту симпатичную рождественскую сказку...

Во время создания этой книги пришло известие, что Роже Вадим скончался. Это был действительно добрый, простодушный и славный человек. Разговаривая с ним, я понял, почему его любили такие разные и такие блестящие женщины. Его глаза излучали тепло и доброту, а ведь это на вес золота... Это встречается очень редко...

КОЧЕВАЯ ЗВЕЗДА ВЕРТИНСКОГО

Имя Александра Вертинского когда-то до революции и потом, вскоре после Отечественной войны, гремело в нашей стране; сейчас оно, к сожалению, подзабыто.

Уже народилось несколько поколений, которые смутно представляют себе, кем же, собственно говоря, был этот самый Вертинский. Знают, что он вроде что-то пел. А ведь это был уникальный человек, прародитель того жанра, где блистали Александр Галич, Булат Окуджава, Владимир Высоцкий.

Саша Вертинский родился в Киеве в 1889 году. Родители его находились в сложной ситуации — они не были обвенчаны. Мать Вертинского, Евгения Степановна, барышня из хорошей дворянской семьи, полюбила молодого талантливого адвоката, но он был женат. Его жена Варвара, злая и неприятная женщина, не давала ему развода. А для Николая Вертинского любовь к Евгении Степановне не была интрижкой на стороне. По сути это была его подлинная семья — сначала там родилась дочь Надя, а пять лет спустя появился на свет и Саша. Родня Евгении тоже была против этого союза, считая его мезальянсом. Они не признавали адвокатишку зятем, родственником. Словом, по мнению многих, любовь молодых людей была преступной, они пребывали во грехе.

Когда Саше Вертинскому исполнилось три с половиной года, мать его умерла от неудачной операции. И тогда одна из сестер покойной, Мария Степановна, забрала мальчика к себе. А старшая сестра Надя стала жить под присмотром отца. Николай Вертинский любил свою незаконную жену. После ее кончины с ним стали происходить странные вещи. Иногда, во время процессов в суде, он вдруг замолкал, погружался в долгие раздумья. Однажды его нашли на кладбище на могиле возлюбленной, где он лежал лицом в снег, потеряв сознание. Николай Вертинский не смог пережить разлуку. Когда Саше было пять лет, его отец скончался от чахотки. Тогда Надю забрала другая тетка. Причем мальчику сказали, что его сестра умерла. А девочке сказали, что ее брат умер. Так дети и жили, не общаясь и не зная ничего друг о друге. Семейка была, как видно, та еще...

Во время похорон Николая Вертинского произошла странная сцена. Она повергла в недоумение его родственников со стороны Евгении Степановны. Когда стали выносить из церкви гроб, вдруг набежала большая толпа бедно одетых людей — убогие старухи, калеки, инвалиды, нищие. Они выхватили гроб из рук приличной публики и понесли. Только тут родственники с дворянской стороны поняли, почему известный адвокат умер в нищете. Оказалось, он вел в суде дела этих обделенных, жалких, изувеченных жизнью людей и не брал с них за это ни копейки.

Доброта отца перешла, как мы увидим, к сыну.

У Саши Вертинского детство было очень несладкое. Деспотическая, взбалмошная тетка-помещица была с придурью. Муж тетки, человек добрый и милый, но находившийся под каблуком, регулярно порол маленького Сашу. Живя в богатом доме, он рос вечно голодным. Ему приходилось и воровать. Он таскал у тетки из комода какие-то вещи, которыми торговал на рынке, чтобы просто-напросто наесться. Сашу тянуло к искусству. А учился он плохо, был двоечником, за это его тоже пороли. Из перворазрядной гимназии перевели в менее престижную. Единственное место, где он чувствовал себя хорошо, где получал наслаждение, была церковь. Он любил бывать во Владимирском соборе, в Киево-Печерской Лавре, где любовался замечательными картинами Васнецова, Нестерова и слушал церковные хоры, божественную музыку. Он мечтал петь в церковном хоре, приобщиться к певческому искусству...

До 1913 года Саша ничего не знал о своей сестре, думал, что ее нет в живых. Но когда, будучи уже артистом, Вертинский приехал в Москву, то увидел афишу, из которой узнал, что в мюзик-холльной труппе выступает Н.Н. Вертинская. И он написал ей письмо: что, мол, у него была сестра, про которую он знает, что она умерла, ее звали Надя. Фамилия всетаки была редкая. Она откликнулась. И оказалось, что эта артистка мюзик-холла действительно его сестра. Они соединились, стали вместе снимать квартиру.

В Москве Вертинский, во второй древней столице, сразу окунулся в богемную среду. Чем он только там не занимался. Пробовал даже работать в кинематографе, снимался в каких-то картинах (благо кино тогда было немое, а у него был дефект речи — он не выговаривал букву «эр»). На съемках он познакомился и подружился с Иваном Мозжухиным, молодым начинающим актером, чья слава была еще впереди...

В 1913 году в Москве проходили приемные конкурсные экзамены в МХТ. И среди 600 абитуриентов, допущенных на окончательный тур, был и наш герой. В приемной комиссии сидели и Качалов, и Немирович-Данченко, и Станиславский, и Книппер-Чехова — замечательный синклит. Вертинский читал стихи, не выговаривая букву «эр». Он читал неизвестных молодых поэтов, своих друзей. А члены приемной комиссии никогда не слышали этих стихотворений. И поэтому они просили его читать еще и еще. Вертинский увидел в этом интерес к его замечательному таланту. А актеры-мэтры просто хотели познакомиться с новой, современной поэзией. На следующее утро молодой человек узнал, что не принят. Неудача, и далеко не первая. В это время он начал уже что-то бормотать про себя, сочинять собственные стихи... В те годы модным поветрием стало пристрастие молодежи к кокаину. И Вертинский приохотился к зелью. Его сестра Надя, с которой они вместе снимали квартиру, тоже предалась этому пагубному пороку. У Саши уже стали появляться галлюцинации. Однажды ему показалось, что он едет в трамвае с Пушкиным. Перепуганный, он побежал к психиатру. Тот, пригрозив упечь его в психушку, полез к Вертинскому в карманы, достал склянки с отравой и выбросил их к чертовой матери. Вертинский поклялся доктору, что покончит с гибельным пристрастием. Но выполнить обещание было непросто. Отнюхав очередную порцию, он выкидывал баночку на крышу дома. А однажды увидел, что вся крыша покрыта пустыми баночками. И он понял, что его ждет страшное будущее. Как ни парадоксально, спасли молодого человека его доброта и отзывчивость. Однажды — уже началась Первая мировая война — он шел мимо особняка дочки Саввы Морозова, Марии Саввишны. В это время у подъезда остановились фуры, откуда принялись выгружать раненых — Морозова отдала свой особняк под госпиталь. Вертинский стал таскать носилки с ранеными, потом вошел в дом, начал помогать при перевязках. И как-то это его увлекло. Был порыв! Делал он это абсолютно бескорыстно. Хотя, как сам потом говорил, некоторая доля актерства в поступке присутствовала. Далее он устроился в санитарный поезд, который организовала Мария Саввишна. Поезд ездил на фронт и привозил раненых. Вертинский работал в нем санитаром, медбратом и назывался брат Пьеро. Два года провел брат Пьеро во фронтовом санитарном поезде. Было ему в те годы двадцать пять-двадцать шесть лет. Он сделал около тридцати тысяч перевязок.

Работая в поезде-лазарете, Александр Николаевич спасал не только солдат и офицеров. Он спас и себя от наркотической зависимости. А потом снова объявился в богемной среде. Влился в «шайку» футуристов под водительством Маяковского. Они срывали выступления разных замшелых деятелей искусства, носили вызывающие одежды, провозглашали шокирующие лозунги. Эпатировали публику, как могли. Вертинский продолжал иногда посещать киностудии, мелькал в каких-то эпизодах. Тогда он встретился с Верой Холодной.

Холодная — это не псевдоним, это ее настоящая фамилия, по мужу. Александр Николаевич и пришел к ней с письмом от него — с прапорщиком Холодным он познакомился на фронте. Именно Вертинский втащил Веру в кинематограф. Он привел ее на студию, где она очень понравилась и сразу же получила роль. А дальше пошло-поехало. Вера Холодная быстро начала набирать кинематографическую высоту, стала самой знаменитой актрисой нашего отечественного немого кино. За ней утвердился титул «Королева экрана»... В санитарном поезде Вертинский узнал страшную новость: его сестра Надя умерла. Ему сообщили, что она приняла слишком большую дозу кокаина и утром не проснулась. Вернувшись в Москву, Александр стал искать ее следы, пытался найти могилу. Он ничего не нашел: ни вещей, ни писем, ни могилы. Надя исчезла навсегда.

Вернувшись с войны, Вертинский начал сочинять свои песенки. Он был влюблен тогда в Веру Холодную и первые песни посвящал ей:

> Ах, где же Вы, мой маленький креольчик,
> Мой смуглый принц с Антильских островов,
> Мой маленький китайский колокольчик,
> Капризный, как дитя, как песенка без слов?..

На его глазах молодая женщина без актерского образования становилась кумиром страны. Культ Веры Холодной разгорался быстро и неукротимо, как лесной пожар.

> Где Вы теперь? Кто Вам целует пальцы?
> Куда ушел Ваш китайчонок Ли?..
> Вы, кажется, потом любили португальца,

А может быть, с малайцем Вы ушли.
В последний раз я видел Вас так близко,
В пролеты улиц Вас умчал авто.
И снится мне — в притонах Сан-Франциско
Лиловый негр Вам подает манто.

В военной Москве 1916 года не существовало, конечно, никаких португальцев, негров или малайцев. Всё это было салонной литературщиной. (Правда, притоны Сан-Франциско еще встретятся на жизненном пути Александра Николаевича.) Но стихи Вертинского постепенно становятся известными. Случилось это потому, что он начал их петь с эстрады. Сам сочинял мотив, разучивал его и исполнял перед публикой.

Дебют состоялся в Петербурге. В программе он шел первым номером — в сборных концертах в начало ставят всегда самого слабого, скучного исполнителя. Однако Вертинский понравился публике. Он переезжает в Москву, пишет новые стихи, сочиняет к ним музыку, поет...

Его песни завоевывают признание, его имя на слуху. И рецензенты, пиная и понося Вертинского, не могут не отметить его успеха. Это был первый в нашей стране бард. Он положил начало новому виду искусства, где поэт, композитор и певец сливаются в одно лицо. Раньше такого не было. И далее подобного не было еще долгое время. До тех пор, пока не появился Галич, а за ним Булат Окуджава и Владимир Высоцкий. Но в чем-то они не смогли сравниться с Вертинским, а именно в театральности. Его песни назывались «Ариэтки Пьеро». Вертинский выступал в карнавальном костюме Пьеро, белого грустного клоуна итальянской комедии масок. Грассируя, он исполнял свои томные, в чем-то манер-

Александр Вертинский пел свои «ариэтки Пьеро»
в костюме белого грустного клоуна
итальянской комедии масок

ные, гривуазные ариэтки. Публика или принимала его «на ура», или же плевалась и освистывала. Многие говорили, что это пошло, вульгарно, безвкусно, что это — дешевый декаданс. Но скандал, как всегда, способствовал популярности артиста. «Ариэтки Пьеро» были выставлены в витринах книжных и нотных магазинов России. Успех у Вертинского был всероссийский. Он начал выступать в шестнадцатом году, а покинул Россию в девятнадцатом. Всего три года он выступал с эстрады. И какие годы! Мировая война, революция, братоубийственные гражданские сражения, погромы поместий, пожары, террор, разорение церквей, страшный разгул ЧК. И в это самое время «фигляр» в клоунском костюме завоевывает Россию своими «сомнительными» песенками. И это, заметьте, без радио, телевидения и прочих средств массовой информации. В истории искусства мы знаем немало мотыльков-однодневок, известность которых скоротечна. После кратковременного бума наступало вечное забвение. Порой интерес диктовался модой. Она проходила, и исполнителя отбрасывали в сторону. Казалось, Вертинского подстерегает именно эта опасность. Голос у него слабенький (а тогда ведь пели без микрофонов), мелодии весьма незатейливы, а стихи порой чересчур экзотичны. Да и маска у него была иностранная. Он выступал не только в маскарадном костюме Пьеро, но и в его гриме. Лицо было густо покрыто белилами, нарисованы трагически изломанные брови и очень красные губы. Дело в том, что он очень боялся публики, стеснялся ее. За костюмом и гримом он прятался от зрителей. У него постоянно было ощущение, что он стоит на сцене обнаженный. Поначалу он просто применил элементарные защитные средства. А потом, в восемнадцатом году, начал выступать в костюме черного Пьеро. Может быть, суровое и страшное время повлияло на перемену цвета. Не знаю. Для того, чтобы выступать каждый день, надо было иметь обширный репертуар. Вертинский жил с огромными нагрузками: беспрерывно сочинял стихи, подбирал к ним музыку. Надо сказать, что он не знал нот. Зато у него были безупречный музыкальный слух и музыкальная память. Мелодии свои он помнил. Если и имелись ноты, то их, скорее всего, записывали аккомпаниаторы. Далее надо было репетировать, отшлифовывать исполнение новых песен. Все это требовало уйму времени и энергии. Александр Николаевич исполнял порой не только свои произведения. Он использовал стихи Анны Ахматовой, Бориса Даева, Николая Агнивцева, Раисы Блох, Александра Блока, Игоря Северянина, Федора Сологуба, Веры Инбер, Павла Рождественского, Игоря Анненского, Георгия Иванова, Надежды Тэффи, Николая Гумилева. Однако благодаря собственной музыке и, главное, манере исполнения делал их своими, «вертинскими». Творческое долголетие Вертинского поразительно. Он выступал на сцене свыше сорока лет, и всегда у него были полные залы и безоговорочный успех. И в революционной, полыхающей заревом пожаров России, и среди рассеянных по всему земному шару русских эмигрантов, и после войны в нищем Советском Союзе. Он был востребован всю свою жизнь. Феноменально!

Однако вернемся в семнадцатый год. Поздней осенью состоялся в Москве его первый бенефис. Вертинскому предстояло завоевать столицу. И он ее покорил. Это был настоящий триумф. Ценные подарки, море цветов, публика неистовствовала. И это случилось именно 25 октября 1917 года, а по новому стилю 7 ноября. В эту ночь большевики взяли власть. Когда Вертинский возвращался с концерта, с собой он вез только цветы — букеты, венки, цветы в вазах, в горшочках. Нанял трех извозчиков, чтобы отвезти все это море цветов. Цветочный кортеж остановил патруль. Стреляли где-то близко. Извозчики сказали: «Барин, мы дальше не поедем». И тогда Вертинский попросил их помочь ему. Они сгрузили все цветы на бульваре, и бенефициант отправился к себе домой пешком. А судьба подарков так и осталась неизвестной. Первый бенефис артиста стал одновременно и последним...

В это время он посвящает Вере Холодной еще одну песню:

> Ваши пальцы пахнут ладаном,
> А в ресницах спит печаль.
> Ничего теперь не надо нам.
> Никого теперь не жаль.

Далее в песне идет описание похорон. Вера Холодная возмутилась: «Да вы что?! Я же живая! Снимите немедленно посвящение!»

Вертинский был обижен такой реакцией, он пытался объяснить кинозвезде, что это — поэтические фантазии, выдумка, образ, творчество. Но эпиграф-посвящение убрал. В 1918 году, когда он выступал в Ростове, будучи уже очень известным, ему пришла телеграмма, что в Одессе умерла Вера Холодная. Песня оказалась пророческой. Он вернул посвящение, и с тех пор стихотворение ассоциируется с именем великой актрисы немого кино.

Вера Холодная

В 1918 году ему было двадцать девять лет... Вертинский всегда был аполитичен. Поглощенный собственной карьерой, он был далек от бурных революционных схваток. Он как бы ничего не имел против большевиков, хотя они вряд ли были ему симпатичны. Но так уж вышло, что круг его друзей и знакомых был связан с белогвардейщиной. Когда белые армии откатывались на юг, то вместе с ними откатывался и Вертинский.

Он покинул Крым на одном из последних французских кораблей и прибыл в Константинополь. Началась эмиграция. Он пробыл на чужбине четверть века. Причем никогда толком не понимал, почему уехал. Он тосковал по России смертельно. Его бегство из страны оказалось страшной, роковой ошибкой. Он очень страдал от ностальгии, оказался слишком русским. Ему было не так уж важно, какой строй, какая власть. Он тосковал по русской речи, по русским людям.

Его жизнь в изгнании была невероятно пестрой и разнообразной. И в тюрьме сидел, и знавал успех, и разорился, и с нищетой познакомился, влюбленностей и романов было несчетное количество. А география его жизни?! Гастроли по всей Европе: Болгария, Румыния, Польша, страны Прибалтики, Венгрия, Югославия. Далее последуют оседлые периоды жизни во Франции, в США и в Китае.

В Бессарабии, которая до революции входила в состав России, родилась замечательная песня. Александр Николаевич стоял на берегу реки Днестр. На другом берегу он видел родную землю, куда въезд ему был запрещен...

В СТЕПИ МОЛДАВАНСКОЙ

Тихо тянутся сонные дроги
И, вздыхая, ползут под откос.
И печально глядит на дороги
У колодцев распятый Христос.

Что за ветер в степи молдаванской!
Как поет под ногами земля!
И легко мне с душою цыганской
Кочевать, никого не любя!

Как все эти картины мне близки,
Сколько вижу знакомых я черт!
И две ласточки, как гимназистки,
Провожают меня на концерт.

Что за ветер в степи молдаванской!
Как поет под ногами земля!
И легко мне с душою цыганской
Кочевать, никого не любя!

Звону дальнему тихо я внемлю
У Днестра на зеленом лугу.
И Российскую милую землю
Узнаю я на том берегу.

А когда засыпают березы
И поля затихают ко сну,
О, как сладко, как больно сквозь слезы
Хоть взглянуть на родную страну...

В Бессарабии, отошедшей к Румынии, жило много русских. Они соскучились по русской песне. Вертинского там встречали восторженно, как желанного долгожданного гостя. Кончилось всё это скверно. Сигуранца — румынская полиция — арестовала Вертинского. Его обвинили в том, что он — агент большевизма, что своими выступлениями разжигает националистические настроения, будоражит людей, которые требуют вернуть Бессарабию Советской России.

В тюрьме Вертинский оказался в одной камере с ворами. Это были бессарабы, русские, румыны, поляки, украинцы. Они все говорили по-русски и, больше того, оказались его почитателями. Он пел им в камере русские народные песни, пел про Ермака, тюремную про Александровский централ, кое-что из своего репертуара. Заключенные его обожали. Среди них был один вор международного класса — Вацек. Крупный специалист своего дела. Он вскоре вышел на волю и помог Вертинскому. Просто внес за свободу певца деньги, выкуп. И Александра Николаевича выпустили из тюрьмы. Но выслали в Румынию. Тернистый путь эмиграции продолжался. Далее была Польша. Там родилась песня «Пани Ирена». Рассказывают — не знаю уж, правда это или легенда, но, во всяком случае, красиво — будто бы на концерте в крупном польском городе в «правительственной» ложе сидела рыжеволосая очаровательная женщина. Вертинский со сцены высмотрел красотку и в антракте расспросил про нее. Оказалось, что это жена губернатора. После концерта она зашла за кулисы, они познакомились. Звали ее пани Ирена. А утром новая песня была готова. На следующий день опять состоялся концерт, и очаровательная пани Ирена снова сидела в ложе. И вдруг услышала:

> Я влюблен в Ваши гордые польские руки,
> В эту кровь голубых королей,
> В эту бледность лица, до восторга, до муки
> Обожженного песней моей.

В песне было немало откровений:

> Разве можно забыть эти детские плечи,
> Этот горький, заплаканный рот,
> И акцент Вашей польской изысканной речи,
> И ресниц утомленных полет?

Любовное признание кончалось такими словами:

> Я со сцены Вам сердце, как мячик, бросаю.
> Ну, ловите, принцесса Ирен.

И певец схватился за грудь, как бы вырвал свое сердце и кинул его через зал адресату. Рядом с красавицей сидел муж, которому всё это почему-то крайне не понравилось. Он немедленно вышел из ложи. Когда концерт кончился и усталый маэстро ушел со сцены, в кулисах его ждали два дюжих жандарма. Они подхватили его «под белы руки», выволокли из театра, бросили в тюремную машину и увезли за сто километров от города.

Поколесив по Европе и покуролесив, Вертинский наконец добрался до столицы русской эмиграции, до Парижа... В районе площади Пигаль в конце 20-х годов находилось около ста русских ресторанов. В ресторане «Коза ностра» Вертинский выступал чаще всего. Сюда приезжали сливки парижского общества. Вертинский пишет, что тут за столом можно было видеть королей Густава Шведского, Альфонса Испанского, принца Уэльского, Ротшильдов, Морганов, Вандербильдов, членов королевских семей, аристократическую и банкирскую элиту. Сюда заглядывали короли и принцессы экрана: Чарли Чаплин, Дуглас Фербенкс, Грета Гарбо, Мэри Пикфорд, Марлен Дитрих. Всех их привлекала русская музыка, русская песня. Шансонье Вертинский пользовался огромной популярностью. Здесь зародились добрые и нежные отношения с Марлен Дитрих. А однажды — это был 1929 год — сюда наведалась делегация писателей из Советского Союза. Вот что написал тогда о своем давнем, еще дореволюционном друге в «Огоньке» Лев Никулин:

«Продавец чужих перелицованных слов и звуков, веселый малый, остряк с прекрасным аппетитом и самыми здоровыми привычками. Но так как он торговал наркотической эротикой, тлением и вырождением, то он играл роль дегенерата и наркомана. И играл эту роль очень правдоподобно, даже в минуты, когда ел, с аппетитом, вареники с вишнями. Кукла из дансинга, стилизованная кукла Пьеро, одетая в кружева и бархат, висела у него через плечо. Он махнул нам длинной прозрачной рукой. И вошел в подъезд. И мы представили себе бархатного длиннолицего певца, ветошь вчерашней эпохи, которую время смахнуло с эстрады и перебросило, как куклу, через плечо».

Красиво сказано, человек явно был не лишен писательских способностей. Но употребил их, к сожалению, не во благо, а во зло. За язык же его никто не дергал. Мог бы и промолчать. Поразительно, что по возвращении в Советский Союз Вертинский продолжал дружить со Львом Никулиным, называл его «старый дружище».

Я помню строфу из прекрасного стихотворения Ярослава Смелякова «Любка Фейгельман»:

> Гражданин Вертинский вертится спокойно,
> Девочки танцуют английский фокстрот.
> Я не понимаю, что это такое,
> Как это такое за сердце берет.
> Только мне обидно за своих поэтов.
> Я своих поэтов знаю наизусть.
> Как же это вышло, что июльским летом
> Слушают ребята импортную грусть?

Из этого стихотворения ясно одно: что в середине 30-х советская молодежь знала и слушала песни Вертинского.

В Париже Вертинскому нравилось. В особенности поначалу. Здесь он снова встретился с Иваном Мозжухиным, с которым сдружился еще до революции. Мозжухин стал очень знаменитым артистом — это было еще немое кино. Он помог Вертинскому вновь окунуться в мир кинематографа. Певец ездил на съемки в Ниццу, снимался и в Париже и таким образом подрабатывал. Он еще успевал ездить из Парижа на гастроли по Европе, туда, где жили русские эмигранты. В результате он неплохо зарабатывал, даже стал совладельцем одного из ресторанов на Елисейских полях. Но как человек непрактичный, выгоды из этого никакой не извлек. И быстро, быстро прогорел, что и потом случалось в его бурной и длинной зарубежной биографии. Кстати, в Париже он в первый раз женился...

Казалось бы, жизнь на чужбине у него сложилась прекрасно. Но в это время он создает «Желтого ангела». Такую песню вряд ли мог написать благополучный, счастливый человек. Петь в кабаках — сквозь хохот, стук ножей, вилок, хамство, драки — это тяжелое испытание для артиста. Нужно было прятать самолюбие, делать вид, что всё замечательно, сносить моральные пощечины от жирующих равнодушных богачей. В нем, как это ни странно, жило сознание человека угнетенного, зависимого от жующих и пьющих людей, которые во время его пения могли ржать над анекдотом, не слушать, громко разговаривать, повернуться к артисту спиной, могли не хлопать или освистать.

В середине 30-х время стало меняться. Наш герой все чаще задумывался о том, что пора уезжать из Франции и искать для себя новое пристанище... На корабле «Лафайет» Вертинский пересекает Атлантический океан.

Первый концерт в Америке проходил в нью-йоркском Таунхолле 5 марта 1935 года. Двухтысячный зал был полон. Среди публики находились замечательные деятели культуры — Федор Шаляпин, Сергей Рахманинов, Марлен Дитрих, знаменитый американский певец Бинг Кросби.

Зал принимал его восторженно, — стонал, плакал, аплодировал, вставал. Успех был невероятный.

Когда Александр Николаевич исполнял «Чужие города», плакали все.

> ...Это было, было и прошло.
> Всё прошло... и вьюгой замело.
> Оттого так пусто и светло.
> Вы, слова залетные, куда?
> Тут живут чужие господа,
> И чужая радость и беда...
> Мы для них чужие навсегда...

Автор этих стихов поэтесса Раиса Блох. Жила она в Париже. Судьба ее трагична. Во время немецкой оккупации она была схвачена фашистами и погибла в концлагере.

Триумф, оглушительный успех — так встретила русская Америка своего любимого поэта, певца, композитора. Реклама, которая предварила прибытие Вертинского, достигла цели. Огромное количество русских, может быть, впервые собрались вместе на этом концерте. Приезд кумира объединил их. Шаляпин был счастлив за своего друга. Он все время предлагал: «Поедем! Это дело надо отметить!» Но вскоре пришло отрезвление; ведь гала-концерт готовился пять месяцев, на него работало много людей, плюс газетная реклама. А русская колония была ограничена в своих размерах. Тогда в США еще не было такого количества выходцев из России.

Вертинский переезжает в Сан-Франциско, второй город, который облюбовали российские беглецы. Там он выступает с несколькими концертами. Встречи уже были пожиже, и успех, конечно, был, но не такой, как в Нью-Йорке. Публика быстро насытилась Вертинским. Он переезжает в Голливуд, в Лос-Анджелес. И начинает кормиться за счет этой огромной киноиндустрии грез. Снимается, но в массовках, в эпизодах. В Голливуде в те времена работало еще немало евреев из России, которым американское кино во многом обязано своим становлением. Но Вертинский не знал английского языка, и на киношной карьере — кино уже заговорило! — пришлось поставить крест. В Америке он перебивался с хлеба на квас и не чувствовал себя там дома. Ему очень многое в Соединенных Штатах не нравилось, многое раздражало. Особенно радио и реклама. Это его доводило порой до белого каления. Он решает покинуть Америку и отправляется в Китай. Сначала на гастроли, думая, что это займет несколько месяцев. А на это ушло, как выяснится потом, восемь лет жизни.

В Америке он пробыл всего год. Живя в Голливуде, написал шутливую, но в чем-то грустную песенку, где прощался с Марлен Дитрих. Он иронично описывал, как нелегко мужчине находиться при американской звезде, будучи не то приживалом, не то камердинером. В итоге год в Америке оставил в его душе горький осадок...

В Китае Вертинский очень рассчитывал на Харбин. Этот город был на девяносто процентов русским. После революционных событий Харбин — «столица» Китайско-Восточной железной дороги — отошел к Китаю. И русские люди, не принявшие большевистский режим, осели там. В городе было много

Александр Николаевич всегда был элегантен, безупречно одет, жесты его были отточены. Он был Артист до мозга костей

русских школ, гимназий, церквей, магазинов, ресторанов. Русские, живущие в Китае, встретили певца восторженно. Для них это было не просто свидание со знаменитым артистом. Вертинский нес с собой русскую культуру, русскую песню, русскую музыку. На его концерты ломились.

Однако Александр Николаевич приехал не в очень удачное время. В 1932 году фашистская Япония оккупировала Маньчжурию и главный город провинции — Харбин. Стали создаваться нацистские организации, в которые вербовали и русских.

Многие эмигранты начали покидать Харбин. Кто-то смог вернуться на родину, кто-то уехал в Австралию, а основная масса русских перебралась в Шанхай. И Вертинский выбрал Шанхай местом жительства. После радостных праздничных встреч в жизни артиста довольно скоро наступили будни. Население жило весьма бедно. Какие уж тут концерты? Да и сколько можно ходить на одного и того же артиста? Чтобы найти какой-то творческий выход, Вертинский поступил в русскую оперетку. В оперетте Легара «Веселая вдова» он играл роль графа Данилы. Играл, кстати, блистательно, с юмором. Но вскоре оперетка прогорела...

В 1939 году началась Вторая мировая война. Пали Польша, Австрия, Чехословакия, Франция. Путь в Европу был закрыт. Вертинский оказался пленником Китая. В это время он регулярно и настойчиво обращался в советское правительство и просил разрешения вернуться. Он активно сотрудничал в разного рода просоветских организациях, выступал в просоветской печати, которая издавалась в Китае. В результате заслужил репутацию большевистского прихвостня. И тогда фашиствующие хулиганы устроили ему «сюрприз». Перед его концертом они насыпали в партере огромное количество нюхательного табака. Зал не слушал артиста, — зал чихал. Чихал и исполнитель. Всё это было бы смешно, когда бы не было так грустно...

У него была поклонница по имени Буба, дама полусвета, с которой у него были шуры-муры. Она предложила ему на пару создать кабаре. Буба вложила свою долю денег, что-то имелось у Александра Николаевича. И вот наступило время открытия кабаре «Гардения». Хозяева стояли в дверях, радушно встречая гостей. Совладелец с гарденией в петлице, в замечательном костюме выглядел процветающим бизнесменом. И поначалу «Гардения», где гвоздем программы был Вертинский, в самом деле процветала. Но Александр Николаевич оказался неважным бизнесменом. И кроме того, слишком гостеприимным. Каждый вечер после концерта он усаживал за стол огромное количество гостей, посетителей, прихлебателей. Вскоре выяснилось, что кабаре прогорело и Вертинскому грозит тюрьма. А тут как раз пришло разрешение от советского правительства вернуться на родину. Но Вертинский был под следствием и выехать не мог. Пока длилась судебная проволочка, срок визы кончился.

Вертинский был признан невиновным, но мечта — возвращение на родину, — мечта, которую он лелеял в своей душе двадцать лет, рухнула. Все надо было начинать сначала. На этот раз он направил послание прямо Молотову. «Дорогой Вячеслав Михайлович! Я не могу жить вдали от Родины, особенно сейчас, когда она истекает кровью. Эмиграция — это тяжелое наказание. Я двадцать лет жил без Родины. Даже в тюрьме за примерное поведение наступает когда-то помилование. Очень прошу дать мне разрешение на возвращение домой. Я еще могу быть полезным своей стране, в особенности в такое время...»

Тут случилось событие, которое определило его дальнейшую жизнь до конца. Он встретил молодую прелестную девушку — Лиду Цирглава.

Дальше в моем рассказе об Александре Николаевиче принимают участие три очаровательные женщины — вдова Александра Николаевича Лидия Владимировна Вертинская и две их дочери — Марианна и Анастасия, известные театральные и кинематографические артистки. Интервью брались порознь, у каждой отдельно.

Эльдар Рязанов. Лидия Владимировна, у вас такая необычная внешность. Кто ваши родители?

Лидия Владимировна. Мой отец грузин — Владимир Цирглава. Светловолосый, с голубыми глазами... А у мамы со стороны бабушки — сибирские староверы, а со стороны дедушки — донские казаки. Детство прошло в Харбине, училась там в русской школе. После смерти отца в тридцать третьем году переехала в Шанхай, где окончила английскую гимназию. А после курсов стенографии и машинописи работала в пароходной компании.

Эльдар Рязанов. Знали ли вы песни Вертинского до того, как увидели его, как говорится, живьем, на сцене?

Лидия Владимировна. Я слышала его песни на пластинках. Мне они очень нравились. А потом, на Пасху, я была в одной компании. У кого-то возникло предложение — поехать и послушать Вертинского в концерте. Я обрадовалась, мы поехали. Кто-то из нашей компании был знаком с Александром Николаевичем, и он подошел к нам. Меня познакомили. Я была очень рада этой встрече, предложила ему сесть. И, как Вертинский потом говорил: «Я сел. И сел на всю жизнь».

Эльдар Рязанов. Где это случилось? В ресторане, кабаре?

Лидия Владимировна. Это был ночной ресторан.

Эльдар Рязанов. Что вы испытали, какие ощущения, когда увидели впервые человека, чьи песни вы уже знали?

Лидия Владимировна. Совершенно поразительное чувство меня охватило. Он пел «Прощальный ужин», стоял на эстраде такой великолепный, такой элегантный. Мне он казался божественным. А когда он спел: «Я знаю, даже кораблям необходима пристань. Но не таким, как мы, не нам, бродягам и артистам», — то в эту минуту стрела жалости пронзила мое сердце. И тут возникла моя влюбленность в Вертинского. Мне стало его безумно жалко. Такой роскошный — и вдруг у него нет пристани.

Любовь у меня сразу соединилась с жалостью. И это было всегда, всю жизнь. Мне всегда было его жалко.

Эльдар Рязанов. А он сразу в вас влюбился?

Лидия Владимировна. Вы знаете, я была удивительно хороша в тот вечер. Мне было тогда семнадцать или восемнадцать. Я была в зеленом платьице, которое очень шло к моим зеленым глазам и длинным ресницам. Когда я сказала Вертинскому, что я по отцу грузинка, он ответил, что всю жизнь обожал грузин. А потом, живя со мной, всегда называл себя «кавказский пленник».

Эльдар Рязанов. Сразу начал за вами ухаживать?

Лидия Владимировна. Я, правда, могла редко с ним встречаться, работала каждый день. У меня были свободны только суббота и воскресенье. Потом надо было еще выбирать время, когда мама куда-нибудь уйдет. Когда она узнала, что я хочу встречаться с Вертинским, то был дикий скандал. Был такой скандал! Ой, какой был скандал!

Эльдар Рязанов. Почему? Из-за репутации Вертинского как жуира и донжуана?

Лидия Владимировна. Частично и это. Но самым важным для мамы была огромная разница в возрасте между нами. Ей это казалось чудовищным, понимаете? Чудовищным и никак не совместимым. А для меня это ничего не значило. Мне было с ним более интересно, чем со сверстниками.

Эльдар Рязанов. Лидия Владимировна, насколько я понимаю, осада продолжалась около двух лет? И он писал вам письма?

Лидия Владимировна. Очень много писем, чемоданы писем.

Эльдар Рязанов. Я читал в «Огоньке» некоторые письма, которые вы разрешили опубликовать. Должен сказать, перед такими письмами не устояла бы никакая женщина.

Лидия Владимировна. Устоять было трудно.

Эльдар Рязанов. В письмах чувствуется настоящая любовь и, кроме того, огромный литературный дар.

Лидия Владимировна. Да. Оказалось, не он пленник, — а я его пленница. Здесь еще и другое... Я рано потеряла отца, у мамы сибирская кровь, она по природе молчаливый человек, а он мне все время рассказывал что-то интересное, необычайное. Перед моими глазами всплывали экзотические страны, далекие путешествия, дороги, его необычайная жизнь. И потом эти чудесные письма. Они завлекают, завораживают... Он писал, я отвечала, он писал, я отвечала.

Эльдар Рязанов. Ваши письма не сохранились?

Лидия Владимировна. Нет. Они мне показались очень детскими и недостаточно умными рядом с его письмами. И я их сожгла все.

Эльдар Рязанов. Вас не пугало, что вы можете стать очередной женщиной, очередным романом Александра Николаевича?

Лидия Владимировна. Нет, нет, потому что совсем другая линия была у Александра Николаевича. Я ему совсем не нужна была, мне кажется, как женщина. Он влюбился в меня душевно. Он считал, что встретил какую-то птицу спасения. Считал, что я его спасу и от этого кабака, и от этой жизни, от богемы. У него есть стихотворение «Спасение», там замечательные строки:

Я понял. За все мученья,
За то, что искал и ждал, —
Как белую птицу Спасенья
Господь мне ее послал...

Вот такое у него было отношение, понимаете?

Эльдар Рязанов. И после двух лет осады вы решились выйти за него замуж?

Лидия Владимировна. Нет, я бы, наверное, хотела, чтобы вся эта неопределенность продолжалась... Но тут нагрянула японская оккупация. Русские говорили, что с китайцами можно жить, но с японцами нельзя. Они не дают никому жить. Я работала в английской фирме «Моллерс компани». Ее закрыли. Закрылись вообще все американские, английские, французские учреждения. Остались только немецкие конторы. А я уже к тому времени ненавидела немцев, потому что была война с Германией. Я осталась как-то на перепутье. А Александр Николаевич только и мечтал, чтобы уехать на родину, и очень увлек меня этой мечтой. Он видел, что я люблю рисовать, и обещал меня устроить в Москве в художественный институт. Это меня тоже увлекло. Но, главное, конечно, чувство к Александру Николаевичу.

Эльдар Рязанов. Я знаю, что в марте сорок третьего года в советском консульстве в Шанхае был зарегистрирован брак. А потом было венчание?

Лидия Владимировна. Ой, венчание! В Шанхае была большая церковь, — она до сих пор есть, ее не разрушили. У нас состоялась торжественная свадьба. Она описана у Наталии Ильиной в ее воспоминаниях о Вертинском. Пел хор. Я была в белой фате, Александр Николаевич с огромным белым букетом. Он очень волновался, нервничал.

Эльдар Рязанов. А вы?

Лидия Владимировна. Мне было важно ступить первой на ковер.

Эльдар Рязанов. Хотите сказать, тот, кто первый ступит на ковер, тот будет хозяином в доме?

Лидия Владимировна. Да, да, хозяином в доме. Да. Мне очень хотелось ступить первой.

Эльдар Рязанов. Удалось вам?

Лидия Владимировна. Мне удалось. Было очень красиво. Священник водил нас вокруг аналоя. Многие женщины плакали. Потом было застолье в ресторане. Весь Шанхай засыпал нас подарками. А после мы уехали, оставив подарки в ресторане.

Эльдар Рязанов. В свадебное путешествие?

Лидия Владимировна. Нет, его не было. Александр Николаевич сказал мне: «Утром встанем и пойдем за подарками, и ты будешь радоваться. Тебе будет интересно разворачивать все эти пакеты, свертки, а их так много». А когда мы на следующий день пришли в ресторан, хозяйка ледяным тоном сказала, что ночью китайский бой всё украл, все унес. Я не получила ни одного подарка.

Дорогой читатель! Далее в интервью последовал длинный подробный рассказ Лидии Владимировны о событиях в семье Вертинских вплоть до прибытия в Советский Союз. Его невозможно воспроизвести целиком из-за объема. Но там много интересной информации, деталей, показывающих наглядно ту эпоху. Попробую изложить его отрывочно, в жанре не то комикса, не то дайджеста. Но не своими словами, а фразами Лидии Вертинской, у которой блестящая память.

Лидия Владимировна. ...Мне надо было рожать. Японская оккупация. Трудно заработать деньги. Вертинский работал уже сразу в двух местах. Много пел, приходил домой измученный. Госпиталь стоил очень дорого. Врач, принимавший роды, тоже заломил большую сумму. Не понимали, где взять деньги. Вертинский придумал спекуляцию. Он занял деньги и купил пять бутылок водки по три литра каждая. Цены на водку росли. Время рожать и высшая стоимость водки совпали. Я родила в роскошном «Country hospital». Александр Николаевич продал водку, со всеми расплатился. Это была его единственная в жизни удачная коммерческая операция...

...Никак не могли уехать. Кроме нас должны были ехать в Союз тридцать восемь моряков с потонувшего советского торгового судна. Они извелись, сидели, ждали, хотели домой. Жили в советском консульстве в Шанхае. Японцы не давали морякам визы. Тогда наши в Москве задержали японских дипломатов. Пошли переговоры. Отношения с японцами ужасные. Наконец поплыли на японском пароходе из Шанхая в Дайрен (порт Дальний). Союзники торпедировали японские корабли. Японцы хотели, чтобы это судно было потоплено, чтобы разгорелся конфликт. Но наши сообщили американцам, дали знать, что на пароходе советские люди. Нас не потопили. Приехали в порт Дальний ночью. Никогда не забуду эту ночь. Тьма кромешная, везде затемнение. Бушевало море. Узкий трап с парохода на пристань. Кто-то поддерживал маму, Вертинский меня, которая несла трехмесячную Машу. Повезли в японскую гостиницу — там холодно, циновки, неприглядно...

...Дальше поезд. Через Харбин к советской границе... Через знакомых дали знать бабушке, — маме отца, — что будем ехать мимо, чтобы пришла к поезду попрощаться. Дедушку замучили пытками японцы, бабушка овдовела, жила одна, не в Харбине, а на станции, не очень далеко от города. Бабушка пришла, несчастная, и плакала. И мама плакала, ведь прощались навсегда. Вагоны наши под охраной японцев. Наши консульские уговорили конвой, чтобы нам разрешили выйти из поезда, обнять, попрощаться. Японские солдаты образовали коридор от дверей вагона до места, где стояла бабушка. Мы с ней попрощались. Но в сорок пятом году, после разгрома Японии, Александр Николаевич добился, чтобы бабушка приехала в Москву. Она жила с нами здесь, похоронена на Ваганьковском кладбище...

...Потом нас на две недели задержали в Маньчжурии. Четвертого октября сорок третьего года выехали из Шанхая и лишь в ноябре приехали в Читу. Мороз сорок градусов. Я вышла из гостиницы, взвизгнула и скорее бросилась обратно. Будто меня взяли за шкирку и опустили в кипяток. Четыре дня в Чите. Купили билеты в Москву, заказали грузовик. В Чите Вертинский дал по просьбе властей четыре концерта. В грузовик погрузили вещи, а меня с Машей и сумкой, где было молочко для малышки, американские соски, сухое молоко, в кабину. Бутылочки позвякивали в сумке, и шофер, видно, решил, что там водка. На станции разгрузили вещи, потом Александр Николаевич помог мне с Машей спуститься из кабины. Он сказал водителю: «Сейчас я с вами расплачусь». Но водитель захлопнул дверь и умчался. Предпочел «водку» деньгам. У нас началась паника. У меня молока грудного не было. Поезд вот-вот отойдет. Там, в украденной сумке, было всё для кормления ребенка. Александр Николаевич послал на следующие десять станций телеграммы: «Артист Вертинский. Еду с грудным ребенком. Вынесите к поезду литр молока». Специально никто,

Лидия Владимировна, Александр Николаевич и их первенец — дочка Марианна. 1943 год

конечно, не вышел. Но бабы сами по себе торговали молоком. А ребенок уже ночь не кормлен. Вертинский дает за молоко сто рублей. Молочница не отдает и говорит: «Давайте тару». Вертинский предлагает двести рублей. «Мне не нужны ваши двести рублей, давайте пустую тару». Александр Николаевич на взводе, в вагоне голодная грудная дочь. К следующей станции он приготовился. Мы с мамой стоим у окна вагона, смотрим. У мужа в руках пятьсот рублей. Он подходит к молочнице, крепко берется за горлышко бутылки и протягивает веером пять кредиток по сотне. «Давайте тару», — упорствует и эта баба. Тогда он выдергивает бутылку, бросает ей деньги и бежит к вагону. Все начинают кричать: «Вор, вор, украл бутылку!» Мы переживаем, вдруг его схватят! Еще повалят, начнут бить. Но он успел добежать до вагона... Вскочил в трогающийся поезд... Это сейчас смешно слушать, а как было трагично... В Москве нас встречали и повезли в гостиницу «Метрополь». Там мы прожили около трех лет.

Эльдар Рязанов. Как и где состоялся первый концерт? Как принимала публика зарубежную диковинку?

Лидия Владимировна. Первый концерт состоялся в Доме актера на Пушкинской площади. Была вся театральная артистическая элита. Все народные, все заслуженные. Начали концерт попозже, чтобы артисты могли прийти после спектакля, — в те времена спектакли кончались поздно. Были и Василий Качалов, и Алла Тарасова, и Василий Топорков... Буквально все. Все великие старухи из Малого театра. И певцы, и балетные. Кто-то из правительства даже. Я помню, мне показали, что в первом ряду сидит рыжеволосый молодой мужчина в военной форме, и сказали, что это Василий Сталин. Он разговаривал с Гурарием, известным фотографом, и рассказал ему, что, мол, у отца есть пластинки Вертинского. И когда он устает, то заводит «В синем и далеком океане».

Эльдар Рязанов. Как артистическая Москва встретила блудного сына?

Лидия Владимировна. Бесподобно, восторженно. Но потом был такой случай. Важная большевистская дама, ее фамилия Землячка...

Эльдар Рязанов. Это была большая коммунистическая шишка. Была даже улица ее имени, на особняке мемориальная доска...

Лидия Владимировна. ...Так вот, эта Землячка была на концерте Вертинского и на следующее утро звонит Щербакову. Как его?..

Эльдар Рязанов. Александр Сергеевич. Это был человек, который ведал идеологией в ЦК ВКП(б).

Лидия Владимировна. Идеологией, да. Звонит и докладывает: «Я вчера была на концерте Вертинского, послушала его репертуар. Ему надо создать новый. Это абсолютно не имеет отношения к нашей идеологии». Может быть, не такая в точности формулировка была, но смысл такой. Вскоре у них состоялось партийное заседание...

Эльдар Рязанов. Наверное, политбюро...

Лидия Владимировна. Политбюро, да. И был Щербаков. И Хозяин, как его называли, — Иосиф Виссарионович. Щербаков говорит: «Мне звонила Землячка. Она была на концерте Вертинского и сказала, что его репертуар не соответствует нашей идеологии, что ему следует написать другие песни». Сталин выдержал большую паузу. Он, кажется, замечательно умел делать паузы...

Эльдар Рязанов. (*Саркастически*): Он замечательно делал не только паузы...

Лидия Владимировна. Понимаю вас. Он сказал: «Зачем писать новый репертуар артисту Вертинскому? У него есть свой репертуар, а кому не нравится, тот пусть не ходит и не слушает».

Эльдар Рязанов. То есть он защитил Александра Николаевича.

Лидия Владимировна. В общем, да, хотя были сказаны одна-две фразы.

Эльдар Рязанов. Этого было достаточно, чтобы фразы стали известны всем, кому положено. Но я знаю, что из огромного количества песен Александра Николаевича, а их несколько сотен, ему разрешили петь только около тридцати.

Лидия Владимировна. Да. Всего-навсего. И всегда сидел какой-то ревизор, который проверял, не поет ли он чего-то недозволенного.

Единственной отдушиной для Александра Николаевича были концерты для актеров, для деятелей искусств. Например, в Доме кино, где была особая публика. Он давал концерты для творческой интеллигенции. И тогда показывал свои вещи, которые были не разрешены.

Году, наверное, в сорок пятом мне — студенту второго курса ВГИКа — удалось раздобыть билеты на концерт Вертинского. Вечер проходил в зале Московского областного педагогического института. Первое впечатление — на сцену вышла немолодая высокая хищная птица, во фраке. Скорее, неприятная. Но вот он запел, и мощное биополе артиста накрыло зал. Песни в его исполнении оказались чудом искусства. Меня тогда потрясла необыкновенная пластика его рук. Напевая, он сопровождал музыку и стихи жестикуляцией. Каждый жест был продуман, отточен и выразителен. Напоминало изысканный балет, только исполняемый не ногами, а руками. В результате каждый номер становился маленьким чудесным спектаклем.

Эльдар Рязанов. В сорок шестом — сорок восьмом годах громили творческую интеллигенцию. Были партийные постановления и о кино, где уничтожали Эйзенштейна, Пудовкина, Лукова, Козинцева и Трауберга, и об опере Мурадели «Великая дружба», где вытерли ноги о композиторов, и о журналах «Звезда» и «Ленинград», где Ахматову объявили «полумонахиней, полублудницей» и Михаилу Зощенко тоже всыпали по первое число. Как же в этом идеологическом шабаше уцелел Вертинский со своим «импортным» репертуаром?

Лидия Владимировна. Нам рассказали, что в постановлении об опере «Великая дружба», в конце его, был большой раздел, где громили Вертинского. Очень сверхстрогие формулировки.

Сталин сидел с карандашом, читал, потом взял карандаш, зачеркнул этот раздел крест-накрест и сказал Жданову: «Дадим артисту Вертинскому спокойно дожить на родине». Вот так.

Эльдар Рязанов. Защитил второй раз...

Лидия Владимировна. Вертинский очень часто давал благотворительные концерты. Их тогда называли шефскими.

В разговор включаются дочери — Анастасия и Марианна.

Анастасия. Он всегда пел, как только его просили об этом.

Лидия Владимировна. Это была его человеческая потребность. Он пел для детей, потерявших отцов на фронте, для раненых, для старых актеров в домах ветеранов сцены. Чем больше был сбор, тем больше он радовался. Значит, больше денег достанется тем, ради кого он пел.

Марианна. Папа был удивительно добрый человек.

Лидия Владимировна. Он безумно нервничал, когда ему говорили, что дети в школе голодают. Что не хватает денег на школьные завтраки. Много детей было из бедных, необеспеченных семей.

Марианна. И папа давал каждый год концерты в нашей школе номер сто семьдесят девять. А в Москве у него сольные выступления были очень редки. И на эти школьные концерты съезжалась вся Москва.

Лидия Владимировна. Ставили довольно высокие цены за билеты. Он пел, естественно, бесплатно. А все деньги отдавал школе — чтобы купили неимущим детям школьную форму, чтобы кормили их завтраками.

Марианна. Один случай я очень хорошо запомнила. Я, наверно, училась в третьем классе. Папа узнал, что на деньги, которые он пожертвовал школе, купили директрисе в кабинет роскошный ковер. Еще купили новую лампу, ручки, письменные приборы, стулья. Он пришел в такое лютое бешенство. И побежал в школу.

Я первый раз слышала, как папа кричал. Это было при мне. Я стояла за дверью и была просто в ужасе. Я думала, сейчас нас с Настей выгонят из школы. Он кричал: «Я запрещаю! Я не для этого пою! Концерт был дан для того, чтобы у детей были горячие завтраки! Для того, чтобы у них была одежда и обувь!» Был жуткий скандал. Потом все ковры скатали, сдали в комиссионку, распродали моментально. Директриса, которая и без того была весьма злобная, стала смотреть на нас с сестрой с омерзением.

Эльдар Рязанов. Я думаю, он так себя вел потому, что у самого Александра Николаевича было очень тяжелое детство и вечно голодное. И он хорошо помнил те ощущения.

Лидия Владимировна. Через год после приезда в Москву родилась Настя. Александр Николаевич сочинил песню «Доченьки».

У меня завелись ангелята,
Завелись среди белого дня.
Всё, над чем я смеялся когда-то,
Всё теперь восхищает меня!

Жил я шумно и весело, каюсь,
Но жена всё к рукам прибрала,
Совершенно со мной не считаясь,
Мне двух дочек она родила.

Я был против. Начнутся пеленки...
Для чего свою жизнь осложнять?
Но залезли мне в сердце девчонки,
Как котята в чужую кровать!

И теперь с новым смыслом и целью
Я, как птица, гнездо свое вью
И порою над их колыбелью
Сам себе удивленно пою:

Доченьки, доченьки,
Доченьки мои!
Где ж вы, мои ноченьки,
Где ж вы, соловьи?..

Много русского солнца и света
Будет в жизни дочурок моих.
И что самое главное — это
То, что Родина будет у них!

Будет дом. Будет много игрушек.
Мы на елку повесим звезду.
Я каких-нибудь добрых старушек
Специально для них заведу.

Чтобы песни им русские пели,
Чтобы сказки ночами плели,
Чтобы тихо года шелестели,
Чтобы детства забыть не могли.

Правда, я постарею немного,
Но душой буду юн, как они!
И просить буду доброго Бога,
Чтоб продлил мои грешные дни.

Вырастут доченьки,
Доченьки мои...
Будут у них ноченьки,
Будут соловьи!

А закроют доченьки
Оченьки мои,
Мне споют на кладбище
Те же соловьи!

Лидия Владимировна. Сочинив сначала стихи, Александр Николаевич подобрал к ним на рояле мелодию. Но он не знал нот. Было три часа ночи, мы еще жили в «Метрополе». Он позвонил Мише (Михаил Брохес — постоянный аккомпаниатор Вертинского. — *Э.Р.*) и попросил его подняться к нам — нужно записать мелодию. Брохес попросил потерпеть до утра. Но Александр Николаевич жалобно сказал: «Я боюсь, что до утра эту музыку забуду». А между тем Шостакович обмолвился как-то: Вертинский значительно более музыкален, чем мы, композиторы.

Эльдар Рязанов. Невероятно. Музыкальный гений сказал такое о человеке, не знавшем нотной грамоты.

Лидия Владимировна. Да, он сказал это Леониду Траубергу.

Эльдар Рязанов. У вас был хлебосольный дом. Кто бывал у вас из знаменитостей?

Лидия Владимировна. Граф Игнатьев (автор книги «50 лет в строю». — *Э.Р.*) с женой Натальей Владимировной. Художник Осьмеркин бывал со своей Надеждой Георгиевной. Коненков заходил к нам. Вертинский очень дружил с Топорковым — очаровательный человек. Рубен Симонов. Сейчас уже всех не припомнишь. Борис Ливанов, шумливый, веселый. Шостакович, Баталовы, Маргарита Алигер, сатирик Владимир Поляков. Бывал Лев Никулин. Они дружили с Александром Николаевичем еще до революции.

Эльдар Рязанов. Он знал, что Лев Никулин писал о нем в двадцать девятом году?

Лидия Владимировна. Да, он знал, как тот его обложил. Но простил. Человек был великодушный...

Анастасия. Я помню, что я его всегда ждала. Все мое детство. Ну, конечно, как и другие дети, так же прыгала в классики, скакалки, в куклы играла. Но это было фоном моей жизни. А сутью ее было детское ожидание папиного приезда с гастролей.

Эльдар Рязанов. Были в него влюблены?

Анастасия. Я его обожала. Но не влюблена. Это что-то все-таки другое. Вот мама и сестра считают, что я всегда ревновала. Поначалу и я такую версию для себя принимала. Мы с Машкой без конца дрались из-за него.

Эльдар Рязанов. В письмах он все время заклинает, чтобы вы не ссорились, не дрались, не обижали друг друга.

Марианна. У меня характер был полегче, чем у Насти. Она обижалась на папу. Даже в мой день рождения, когда мне дарили куклу, если такую же куклу не дарили Насте, у нее начиналась истерика.

Анастасия. Мне нужно было подарить обязательно такую же! Более того, когда он дарил ей в розовом платье, а мне в голубом, это была для меня страшная драма. Я понимала, что только человеку, которого очень любишь, можно подарить розовую куклу, а человеку, которого совсем не любишь, то есть мне, можно подарить голубую.

Эльдар Рязанов. Ну, вы и фрукт!

Анастасия. Думаю, с обывательской точки зрения, может быть, это и выглядит как ревность. Но я убеждена, это было другое. Мне кажется, я всегда знала, что рано с ним расстанусь. И мне он нужен был для того, чтобы его вбирать, мне одной. Сестра мне мешала. Бедная Маша, она просто хотела сидеть на одной его коленке, а я-то хотела на двух. Он был только мой папа!

Эльдар Рязанов. Но с мамой вы считались или тоже нет?

Анастасия. Ну, с мамой трудно было не считаться. Она нас порола.

Эльдар Рязанов. А за что? Вы не помните?

Анастасия. А за всё. Помню очень хорошо. За то, что мы с ней ругались, за то, что мы дрались, за то, что мы...

Эльдар Рязанов. С мамой вы дрались?

Анастасия. Нет, между собой. Нас же действительно надо было разливать водой. За то, что друг без друга жить не могли. За двойки, за непослушание. Причем порола она нас не просто так, когда шлепнешь по попе и, мол, наказала. Она делала это от души. Мама сама рассказывала: поскольку она по профессии художница, то добивалась этакого ярко-розового колера. Пока не достигала этого цвета, нас не отпускали.

Эльдар Рязанов. А вы ревели благим матом или, стиснув зубы, молчали, как герои-разведчики?

Анастасия. Мы с Машей по-разному реагировали. Например, когда били Машу, а местом порки был почему-то туалет, и она кричала, визжала — тогда я кидалась и, как во время войны спасали Родину, спасала Машу. Я просто впивалась в руку мамы и делала всё, чтобы сестру освободить. А когда пороли меня, Маша тоже кричала страшным голосом, но не кидалась освобождать. Тут была некоторая разница...

Марианна. После смерти папы у нас стали совершенно другие отношения. Мы стали ценить друг друга, любить друг друга. Сейчас у нас просто не проходит дня, чтобы мы раза три-четыре не созвонились. Несколько раз в неделю обязательно видимся. У нас очень доверительные, дружеские и нежные отношения.

Эльдар Рязанов. Лидия Владимировна, а вы ревновали Александра Николаевича? Он же все время уезжал на гастроли.

Лидия Владимировна. Я была очень ревнивая, очень.

Эльдар Рязанов. Скажите, он давал вам поводы?

Лидия Владимировна. Ну, я придумывала их. Например, он расцветал, когда видел красивую женщину, смотрел на нее с удовольствием. И я уже начинала ревновать.

Эльдар Рязанов. У него есть такая строчка: «и прощать мои дежурные влюбленности». Вы прощали?

Лидия Владимировна. Нет, я шумела, шумела.

Эльдар Рязанов. Устраивали сцены?

Лидия Владимировна. Я устраивала сцены, каюсь.

Но это было от большой любви. И я была собственницей. Хотела, чтобы он был только мой. Тут и грузинский характер, да и русский тоже...

Эльдар Рязанов. В одном письме Александр Николаевич жалуется вам, что зарплата — это дырка от бублика.

Лидия Владимировна. Начинать жизнь с нуля в пятьдесят четыре года тяжело. Ставки в «Гастрольбюро» были крохотные. У Вертинского была норма двадцать четыре концерта в месяц. Представляете, двадцать четыре рабочих дня в месяц. Невыносимая норма. А ведь у него были постоянные переезды из города в город. Но одно время позволили петь так называемые «левые» концерты, за которые платили больше. Однако их можно было проводить только сверх нормы, только дополнительно к тем двадцати четырем. Благодаря «левакам» мы смогли обменять маленькую квартирку на Хорошевском шоссе на эту. Здесь когда-то жили старые большевики.

Эльдар Рязанов. В этой комнате, Лидия Владимировна, находится бесценное сокровище — подлинный стол Наполеона да еще с его креслом. На спинке кресла вензель Наполеона: буква «N» в венке. Как они оказались в вашей гостиной?

Лидия Владимировна. Вертинский был на гастролях в Ленинграде и утром после чашки чая пошел погулять. Жил он всегда в «Астории». На Невском был комиссионный магазин. Этот стол туда привезли и сдали на комиссию два майора. Заведующий, увидев такой раритет, помчался предупредить постоянного клиента, чтобы тот быстренько купил уникальную мебель. В это время в комиссионку заглянул Вертинский. Продавец ему объяснил, что заведующий побежал за покупателем. Но, видно, «Астория» оказалась ближе. Александр Николаевич вернулся в номер, взял деньги и тут же заплатил. Когда прибежал заведующий со своим покупателем, было поздно. Заведующий магазином от досады даже ногами топал.

Эльдар Рязанов. Значит, майоры привезли стол из Германии?

Лидия Владимировна. Да. В сорок шестом — сорок седьмом годах.

Эльдар Рязанов. Как пел Высоцкий, «пошла страна — Лимония, — сплошная Чемодания»... А немцы, наверняка, в сороковом году, когда оккупировали Францию, захватили стол в качестве трофея, то есть стибрили. Неисповедимы пути не только Господни, но и пути мебели.

Лидия Владимировна. В эти же годы стали привозить автомобили, рояли, пианино, музыкальные инструменты и прочее. Александр Николаевич получил письмо из секретариата Молотова, что он может в консерватории выбрать себе рояль в подарок от государства. Рояль тоже здесь. Вот он...

Эльдар Рязанов. Скажите, Настя, когда отец приезжал с гастролей, а отсутствовал он подолгу, что происходило дома?

Анастасия. Это был праздник! К этому дню всё подчищалось. Ему не рассказывали о наших жутких прегрешениях. Тем более, говорить ему про наши двойки было бессмысленно. Он приходил в восторг от того, что, например, я плохо училась. Говорил: «Она в меня». Кстати, он никогда нас не воспитывал.

Его не дергали домашними делами. В доме сразу появлялось полно народу. Огромное количество людей сидело за столом, потом гости переходили в кабинет. Папа там рассказывал забавные истории, раздавался смех. Паузы, как будто что-то случилось, и вдруг хохот. Нас выгоняли, конечно, спать. Но я помню, как мы подкрадывались с Машей к двери, там была замочная скважина. Я очень хорошо помню эту мизансцену — папа в замочной скважине. Всегда он был от меня чем-то отделен, отрезан, чтобы я не подходила. Вот эта мизансцена, когда в замочной скважине он то появляется, то исчезает, — лейтмотив моего детства. А когда гостей не было, он всегда нас брал на колени, много рассказывал нам, сочинял сказки. У него была гипнотическая власть над нами. Например, он мог положить свою огромную руку мне на голову, и у меня проходила головная боль. У него руки были очень теплые и какие-то энергетические.

Эльдар Рязанов. Расскажите, как вас обеих отправили в пионерский лагерь.

Анастасия. Однажды, сидя за столом, отец внимательно посмотрел на нас с Марианной и сказал: «Лиличка, тебе не кажется, что мы воспитываем дочерей не как советских гражданок?»

И мы поехали в пионерский лагерь! Помню только голод, линейку, на которой я стояла, скосив пионерскую руку, и думала: «Черт! Почему Папа не написал вот эту песню, под которую мы сейчас стоим, — «Взвейтесь кострами, синие ночи! Мы — пионеры, дети рабочих!» Зачем он написал про каких-то клоунов, пахнущих псиной, про каких-то дам в ландо? Как бы я сейчас им гордилась!»

Я тогда не понимала меру, высоту и значение его великого искусства.

Через 24 дня приехали мы из лагеря. Дома нас ждали. Папа надел красивый костюм, мама была в нарядном платье, бабушка испекла пироги, сварила для внучек обед. Мы вошли и сказали: «Ну что встали, вашу мать!.. Жрать давайте!»

Не сказав «здрасьте», не поцеловав, мы прошли с Машей на кухню, открыли кастрюлю, взяли котлеты руками...

— Ну вот, — сказали, — теперь мы нажремся наконец-то!

Дальше мы икнули и, развалясь, сели на диване, со страшной силой расчесывая головы.

Папа с мамой замерли в молчании. Они просто оцепенели. Бабушка мужественно подошла к нам, раздвинула волосы, а там по пробору ползли лагерные вши. Нас намазали керосином, держали три дня, мы чуть не угорели. Через три дня бабушка опять раздвинула волосы: лагерные вши ползли той же дорогой, им было всё нипочем. Тогда нас наклонили над ванной и побрили налысо.

Есть такая фотография, когда мы сидим, две тощие, лысые, выражение лиц у нас уже угрожающее, потому что «советская власть плюс электрификация всей страны» вошла в нас с сестрой со всей неотвратимостью.

Эльдар Рязанов (*смеясь*). Шикарная история! После лагеря мама вас порола?

Анастасия. Да нет... У родителей был просто шок...

Эльдар Рязанов. Вы рано поняли, что у вас очень необычный отец, не похожий на отцов ваших сверстниц?

Анастасия. Это происходило этапами. Я уже говорила: когда я была пионеркой и мы на линейке маршировали под «Взвейтесь кострами, синие ночи!», я думала: «Почему мой папа не написал этой песни?» Потом постепенно, когда вырастала, начала понимать.

Меня затягивал загадочный мир. Я присутствовала в его песнях. Я знаю, это я была маленькой балериной, которая в каморке с больной матерью штопала трико. Это мне присылал король «влюбленно-бледные нарциссы и лакфиоль». И это на меня ревниво смотрела королева. То есть я становилась его персонажами. Как бы входила в них, как ребенок входит в сказку.

Эльдар Рязанов. Вы бывали на его концертах?

Анастасия. Очень мало. Честно говоря, нас не брали. Однажды взяли, посадили в ложу. Папа объявил песню «Доченьки» — и публика поняла, что мы в зале, — он сказал: «Доченьки» и посмотрел на нас. Когда же он дошел до куплета «А закроют доченьки оченьки мои, мне споют на кладбище те же соловьи» — мы в два голоса с Машей подняли страшный рев, зрители заволновались, и нас увели.

Эльдар Рязанов. Марианна, а разве дома вы не слышали его песни, как он распевается перед концертом, или его пластинки и магнитофонные записи?

Марианна. Он перед концертами распевался не своими песнями. Народными. А его пластинки у нас дома никогда не ставились. Он почему-то не любил этого. Хотя у нас были его американские пластинки фирмы «Колумбия». Мы тогда не думали о том, почему его песни никогда не передают по радио. Он не жаловался, был человеком гордым, независимым. Всю свою боль переживал внутри. Это я уже после поняла.

Эльдар Рязанов. Я читал его письма, в частности, те, которые он посылал домой с гастролей. Их без содрогания читать невозможно!

Лидия Владимировна. Если в письме было написано «У на У» — это означало «уборная на улице».

Эльдар Рязанов. Вот приведу одно письмо: «Номерище громадный, в пять коек. Все это одному мне.

Вода на первом этаже, а в сортир надо ходить во двор, в сарай или на шоссе. И вот в таких условиях надо здесь жить и петь чудесные песни. Это у нас называется культурное обслуживание. Построили бы хороший сортир, вот это было бы настоящее культурное обслуживание. А то строят дворцы культуры, а сортиров не строят. Забывают, что культура начинается с него. Злость берет: ни умыться, ни отдохнуть. И на кой дьявол посылать им Вертинского, может быть, они еще Ива Монтана захотят... Тут лают собаки, в окно ко мне врывается трехэтажный мат с улицы. Воды нет попить. Отче мой, зачем ты меня покинул, сказал Христос на Голгофе. Целую тебя, Лиличка, жена моя дорогая, и родных дочек».

Марианна. Он, конечно, работал на износ. Не умел ни халтурить, ни петь вполсилы. Сколько у нас писем, как он, больной, кашляет, с температурой, идет на концерт. Он испытывал адские муки. Но будучи человеком точным, обязательным, человеком старой школы, не мыслил себе сорвать концерт или опоздать.

Вот его описание одной из поездок по Дальнему Востоку:

«Живу в вагоне, который стоит в тупике, на станции. Купе у меня четырехместное, жесткое. Проводница спит на полу. Иногда она готовит борщ. Сижу на завалинке станционного амбара и пишу тебе письмо. Тут бродят утки, гуси, куры и козы с козлятами. Все голодные, ищут себе пропитание, копаясь в мусоре. Мы только что «позавтракали» чаем с сухим черным хлебом. Потом сходили на базар. Там, кроме семечек, ничего нет».

Эльдар Рязанов. А вот другое письмо, которое тоже рвет сердце. «Я уже поправляюсь, Петочка...»

Марианна. Так он называл маму.

Эльдар Рязанов (продолжает читать письмо). «...но все гудит. В голове шум, сердце стучит и главное, это вечное последнее время непрекращающееся беспокойство. Куда бежать? Что делать? И главное — дети. Мне много лет. Как они вырастут? Доживу ли я до этого? Как их обеспечить? Всё это мучает меня и терзает дни и ночи. А тут еще расхлябанный нервный аппарат актера-одиночки, фактически не признаваемого страной, но юридически терпимого. На самом деле любимого народом и признанного им. Что писать? Что петь? Есть только одна правда: правда сердца, собственной интуиции. Но это не дорога в искусстве нашей страны, где всё подобрано к моменту и необходимости данной ситуации. Я устал и не могу в этом разобраться. И не умею. У меня есть высшая надпартийная правда — человечность. Но сегодня она не нужна... Всё это трудно и безнадежно. И бездорожье полнейшее».

Лидия Владимировна. В его гастролях было и такое: мороз пятьдесят восемь градусов. В зале сидят люди в полушубках, идет пар изо рта, а он стоит во фраке. Нетопленые номера, где невозможно согреться и где зуб на зуб не попадает... Он был в отчаянии. Но когда возвращался домой, то сбрасывал с себя то, что его угнетало в поездках. И сразу хотел веселья, устраивал веселый кутеж. Начинали печь пироги, делать салаты. Александр Николаевич очень любил салаты. И сам умел их делать. Приглашались гости, и тут он становился очаровательным рассказчиком, радушным хозяином, гостеприимным.

Гости были счастливы побыть с ним. Все были обласканы. Друзья получали огромное удовольствие и от рассказов Александра Николаевича, и от теплой атмосферы, которая царила у нас в доме.

Эльдар Рязанов. Вспомните какую-нибудь историю, байку из тех, что он рассказывал.

Лидия Владимировна. В Берлине собралось изысканное общество. Гости поужинали. Началась беседа.

«Когда я жил в России, то был губернатором», — поведал один.

«А я до революции устраивал роскошные балы в своем имении», — сказал другой.

«А я был раньше помещиком», — сообщил третий.

«А мой отец — председатель дворянского собрания в Туле».

Это были вечные темы эмиграции. Один из гостей молчал, сидел поодаль в кресле и гладил маленькую собачку. Александр Николаевич подошел к этому господину. И, чтобы сделать ему любезность, сказал: «Славный у вас песик. Какой он породы?» Человек спокойно посмотрел на него и ответил: «До революции он был сенбернаром».

Марианна. Между папой и мамой были очень нежные взаимоотношения. Мама скучала, тосковала без него, когда он был на гастролях. Отца просто невозможно было не любить, не обожать. И потом он ее безумно баловал. Делал ей бесконечные подарки. Помню, вечерами, когда он бывал дома, они брали бутылочку вина, садились в кабинете, начинались беседы, допоздна засиживались. Мама завороженно слушала его рассказы, он был потрясающим рассказчиком.

Помню, мы ходили на первомайскую демонстрацию с Суриковским институтом. И папа, когда бывал в Москве, тоже ходил с институтом. И нас, девчонок, мамины сокурсницы, студенты, по очереди таскали на плечах, потому что мы маленькие были. Когда мама была студенткой, помню еще такой случай: у нее в Суриковском институте был экзамен по марксизму-ленинизму. А у папы была пауза — месяц отпуска. Он сидел дома и писал шпаргалки по марксизму. Крупным понятным почерком. Бабушка нашила маме на блузку два больших кармана с изнанки, чтобы прятать эти шпаргалки.

Эльдар Рязанов. Вертинский писал шпаргалки? По марксизму-ленинизму?!

Марианна. И по марксизму-ленинизму тоже. Он всё проштудировал с мамой. А потом однажды в «Гастрольбюро» читали лекцию по повышению «идейного уровня». Папа во время лекции с кем-то переговаривался. Ему сказали: «Александр Николаевич, вам что, неинтересно? Вы же этого не знаете!» «Нет, я это прекрасно знаю», — возразил он. Встал и, к изумлению лектора, что-то процитировал из этого марксизма. У него была идеальная память, слава Богу. Он всю эту ерунду запомнил, когда писал шпаргалки.

Эльдар Рязанов. А как он перенес смерть Сталина, развенчание культа личности?

Лидия Владимировна. Он вначале верил в него. Считалось, что с именем Сталина шли умирать, взрывали себя, бросаясь под танки. К этому нельзя было оставаться равнодушным. А вот что он писал из Иркутска двадцать седьмого марта тысяча девятьсот пятьдесят шестого года, после того, как услышал хрущевское письмо:

«Очень тяжело жить в нашей стране. Если бы меня не держала мысль о тебе и детях, я давно бы уже или отравился, или застрелился. Ты посмотри на эту историю со Сталиным. Какая катастрофа! И вот теперь на сороковом году революции встает дилемма: а за что же мы боролись? Всё фальшиво, подло, неверно. Всё борьба за власть одного сумасшедшего маньяка. Кто, когда и чем заплатит нам, русским людям и патриотам, за «ошибки» всей этой сволочи, доколе они будут измываться над нашей Родиной, доколе?»

Эльдар Рязанов. Настя, скажите, пожалуйста, — помогало вам в жизни то, что вы дочь Вертинского или, наоборот, мешало?

Анастасия. Когда я начинала свою актерскую карьеру, все говорили: «Ой, девочка, а ты дочка Вертинского?» Я сжималась, меня это коробило. Я хотела быть не дочкой Вертинского, а сама по себе. И так было долго. Где-то попозже уже говорили: «Ой, Анастасия, какая вы красивая!» И я опять вся сжималась. Лучше бы сказали: «Какая вы актриса!» Когда же я достигла чего-то в своей профессии, меня стало раздражать, когда говорили: «Какая вы актриса!»

Я думала: при чем тут — какая актриса? Я просто дочь своего отца! Это — самое главное! Хоть и рано он ушел, он все-таки дал мне то, что, может быть, предполагал дать!..

ЖЕЛТЫЙ АНГЕЛ

В вечерних ресторанах,
В парижских балаганах,
В дешевом электрическом раю
Всю ночь ломаю руки
От ярости и муки
И людям что-то жалобно пою.

Звенят, гудят джаз-банды,
И злые обезьяны
Мне скалят искалеченные рты.
А я, кривой и пьяный,
Зову их в океаны
И сыплю им в шампанское цветы.
А когда наступит утро, я бреду бульваром сонным,
Где в испуге даже дети убегают от меня.
Я усталый, старый клоун, я машу мечом картонным,
И в лучах моей короны умирает светоч дня.
Звенят, гудят джаз-банды,
Танцуют обезьяны
И бешено встречают Рождество.
А я, кривой и пьяный,
Заснул у фортепьяно
Под этот дикий гул и торжество.
На башне бьют куранты,
Уходят музыканты,
И елка догорела до конца.
Лакеи тушат свечи,
Давно замолкли речи,
И я уж не могу поднять лица.
И тогда с потухшей елки тихо спрыгнул желтый
Ангел
И сказал: «Маэстро бедный, Вы устали, Вы больны.
Говорят, что Вы в притонах по ночам поете танго.
Даже в нашем добром небе были все удивлены».
И закрыв лицо руками, я внимал жестокой речи,
Утирая фраком слезы, слезы боли и стыда.
А высоко в синем небе догорали Божьи свечи
И печальный желтый Ангел тихо таял без следа.

Анастасия. «Желтого Ангела» я считаю, пожалуй, самым гениальным произведением отца. Ему

«Доченьки, доченьки, доченьки мои...»

было свойственно потрясающее качество великого художника, артиста — опустить себя на дно и сказать о себе, что он падший человек, ничтожество, даже Ангел, даже Бог смотрят на него с сожалением. Это может себе позволить только очень большой артист. Потому что, как правило, артист пыжится и раздувает себя до состояния звезды. Но и лопается при этом. Вертинскому же не стыдно, ему страшно. И сразу вырастает значение жанра. А что касается звезды... Я знаю, Эльдар Александрович, что на небе существует звезда, названная вашим именем — «Рязанов».

Эльдар Рязанов. Да, где-то летает.

Анастасия. У меня тоже есть международный сертификат — звезда, названная именем «Вертинский». Сначала я была уязвлена, что около концертного зала в асфальте нет звезды моего папы. Как можно было не начать с Вертинского? — говорила я.

Он же первый, в сущности, на эстраде. Он родоначальник всего. Шульженко рассказывала, что училась у Вертинского, и как он много ей дал. А потом вдруг я подумала: Боже мой, какое счастье, что его там нет. Представляете, в каком-нибудь асфальте, посвященном поэтам, лежали бы Блок, Гумилев, Цветаева, Фет. Какая пошлость!

Эльдар Рязанов. Как к вашему мужу относилось руководство страны? Сталин его два раза защитил, Молотов подарил рояль, Александр Николаевич стал лауреатом Сталинской премии... Был, значит, обласкан?

Лидия Владимировна. Да что вы. За все четырнадцать лет жизни Александра Николаевича в Советском Союзе у него ни разу не было ни типографской афиши официальной, ни одной — любой — рецензии. Вертинского замалчивали. Пластинки его не выпускали. Это его удручало, подавляло, угнетало. И он чувствовал себя оскорбленным. Одно время немножко воспрял духом, когда ему дали Сталинскую премию в пятьдесят первом году. Кстати, Сталинскую премию никогда до этого не давали за отрицательную роль. А Александр Николаевич сыграл отрицательную роль.

Да, он сыграл в фильме Михаила Калатозова «Заговор обреченных» католического кардинала. У его персонажа есть монолог, вернее, проповедь, где он клянет большевиков, воздевает руки и стращает всех этими нелюдями. Надо сказать, Вертинский это сыграл очень страстно и убедительно. Думаю, внутри он был согласен со своим персонажем. А в пятьдесят четвертом году лицо Вертинского узнала широкая публика. На экраны вышел нашумевший фильм «Анна на шее» по рассказу Чехова, поставленный режиссером Исидором Анненским. Александр Николаевич сочно сыграл русского вельможу, понимающего толк в женской красоте. Думается, его личный жизненный опыт позволил ему быть предельно достоверным в этой роли. Его партнершей была молодая и ослепительная Алла Ларионова.

Рассказывая о Вертинском, невозможно не вспомнить его письмо к Кафтанову, бывшему тогда заместителем министра культуры СССР. Это крик души. Написано оно было в 56-м году, в эпоху «оттепели», за год до кончины. Вот оно: «Где-то там наверху все еще делают вид, что я не вернулся, что меня нет в стране. Обо мне не пишут и не говорят ни слова. Как будто я не существую. Газетчики и журналисты мне говорят: «Нет сигнала». Вероятно, его не будет. А между тем я есть и очень есть. Меня любит народ, простите мне эту смелость, 13 лет на меня нельзя достать билета. Я уже по 4-5 раз объехал нашу страну, я был везде: и на Сахалине, и в Средней Азии, в Заполярье, в Сибири, на Донбассе, не говоря уже о центре. Я заканчиваю уже третью тысячу концертов. Не пора ли уже признать, не пора ли посчитаться с той огромной любовью народа ко мне, которая, собственно, и держит меня, как поплавок, на поверхности, не дает утонуть.

Я хочу задать вам ряд вопросов. Почему я не пою по радио? Разве Ив Монтан, языка которого никто не понимает, нужнее, чем я? Почему нет моих пластинок? Разве песни, скажем, Бернеса, Утесова лучше моих по содержанию и качеству? Почему нет моих нот, моих стихов? Почему за 13 лет нет ни одной рецензии на мои концерты? Сигнала нет? Я получаю тысячи писем, где меня спрашивают обо всем этом. Я молчу. В декабре исполнилось 40 лет моей театральной деятельности. И этого никто не знает. Верьте, мне ничего не нужно. Я уже ко всему остыл и глубоко равнодушен. Скоро я брошу всё и уйду из театральной жизни, и будет поздно. И у меня останется горький осадок. Меня любил народ и не заметили его правители»...

Эльдар Рязанов. Кафтанов что-нибудь ответил на это письмо?

Лидия Владимировна. По-моему, нет.

Эльдар Рязанов. Какое горькое письмо!.. Какое у нас нелепое государство! Ну да Бог с ним, с этим государством.

Лидия Владимировна. Вертинскому не простили, что уехал, покинул родину. Он говорил про себя: «Я как публичный дом. Все ходят туда, но говорить об этом неприлично. Вот все и молчат».

Эльдар Рязанов. А вот еще выдержка из письма: «У нас народ абсолютно невоспитан, а кто его воспитывал? Когда им занимались вплотную? Кроме того, он страшен, наш народ. Я думаю, он одинаково способен как на подвиг, так и на преступление. Это показала война и ежедневно показывает быт. Но это ни на йоту не уменьшает его величие».

Написано в пятьдесят четвертом году. А как верно! Как современно звучит!

Лидия Владимировна. В последние годы он хотел бросить сцену, мечтал открыть свою школу. Иметь учеников. Учить их, как надо выходить на сцену, как держать себя на сцене, как петь, как владеть русской речью. Он был влюблен в русское слово. В русскую речь. У него же самого изумительная речь. Он обожал русскую поэзию, знал ее прекрасно.

Анастасия. Я думаю, самым, может быть, неизвестным является его поэтическое творчество, оно не опубликовано целиком. Есть дороги русской поэзии — Пушкин, Лермонтов, Блок. Но также есть и тропы русской поэзии. И Вертинский — это одна из таких небольших троп. Он в первую очередь поэт. Надо издать его стихи, а с кем об этом говорить? Правительству не до этого, ему вообще ни до кого. Те, у кого деньги, так они от нас от всех уже устали. От тех, кто просить приходит. А культура тем временем уходит под воду. Некогда погибла Атлантида, величайшая цивилизация, теперь так же тонет наша культура...

Эльдар Рязанов. Ничего, потом наймут водолазов за валюту. Будут какие-то черепки поднимать со дна.

Марианна. Мне всю жизнь не хватало отца. Он рано ушел, и все время гнетет щемящее чувство; хотелось бы с ним поговорить. Что-то рассказать, спросить совета. Взрослая я уже, очень взрослая. И все равно на сердце тоска, тоска.

Эльдар Рязанов. Лидия Владимировна, вы стали вдовой, когда вам было тридцать четыре года. Почему вы потом не вышли замуж? Наталья Николаевна Гончарова все-таки через несколько лет после смерти Пушкина вышла замуж за генерала Ланского.

Лидия Владимировна. Ну, ей Пушкин велел долго не вдовствовать.

Эльдар Рязанов. Вы думаете, поэтому? А почему вы не вышли?

Лидия Владимировна. Ну, потому что я не Гертруда.

Эльдар Рязанов. Вы имеете в виду гамлетовскую Гертруду?

Лидия Владимировна. Конечно. Как я могла представить, что вот в этом кресле Наполеона, за этим

«Я понял. За все мученья,
За то, что искал и ждал, —
Как белую птицу Спасенья,
Господь мне её послал...»

столом, за которым работал Александр Николаевич, будет сидеть кто-то другой? Вы можете себе это представить? Он был король, патриций. Он был потрясающий человек. Вы даже себе представить не можете, какой он был добрый. Он был друг. А разве можно предавать друга?

Эльдар Рязанов. Скажите, а были какие-то предложения выйти замуж, ухаживания?

Лидия Владимировна. Да, конечно, были. Были и ухаживания, и какие-то романы. Я не помню ничего. Мне неинтересно это вспоминать.

Эльдар Рязанов. В общем, Вертинский главный и единственный мужчина в вашей жизни?

Лидия Владимировна. Конечно. Единственный! Только я не знаю, как будет на том свете? Я умру, а он вдруг встретит меня там с какой-нибудь другой дамой?!

Эльдар Рязанов. Как вы попали в кино? Свою первую роль вы сыграли в «Садко»?

Лидия Владимировна. Кто-то сказал режиссеру Александру Птушко: «Вы ищете сказочное лицо на роль птицы Феникс? Пригласите жену Вертинского». Птушко мне позвонил. Стали делать грим. Хотели мне лицо покрасить золотой краской. Я категорически запротестовала. Я знаю, как для праздника во Флоренции покрасили мальчика бронзовой краской. А к ночи он умер, ведь поры не дышат.

С гримом и костюмом была большая волынка. В Большом театре заказали корсет. Купили в зоопарке двух несчастных павлинов, убили. Из их перьев сшили одеяние. Ужасно мне было жалко этих павлинов.

Эльдар Рязанов. Как ваш кинодебют оценил Александр Николаевич?

Лидия Владимировна. Как-то помалкивал. Мы приехали на просмотр фильма с опозданием. Вошли в зал на «Мосфильме», и Вертинский замер, обалдевший. На экране была голубая комната, и я сидела в виде птицы Феникс на веточке. Это было сказочное зрелище.

А потом я еще снималась у Григория Козинцева в «Дон Кихоте». Играла герцогиню. Александр Николаевич эту картину посмотрел в свой последний вечер. Он был на гастролях в Ленинграде, а я была в Москве. Вертинскому устроили специальный просмотр на студии «Ленфильм». С ним были администратор, пианист и двоюродный брат.

Эльдар Рязанов. Вы не разговаривали с ним потом по телефону, в этот последний его вечер? После просмотра фильма?

Лидия Владимировна. Нет.

Эльдар Рязанов. Почему он не позвонил вам?

Лидия Владимировна. Он не мог. По дороге в «Асторию» они заехали в магазин. Александр Николаевич сказал: «Я хочу купить бутылочку коньяка. Мы сейчас посидим, поговорим про фильм. А завтра я встану, первым делом буду писать Лиде письмо. Она замечательно сыграла. Вы тоже напишите ей, выскажите свое мнение...» А через полчаса он умер. Успел только надеть пижаму и сказать: «Плохо, плохо!» И всё! Сказали, что никакая бы «Скорая помощь» не помогла. Удар был очень сильный.

Эльдар Рязанов. В конце жизни он написал страшные строки:

«У меня пропал аппетит к жизни. Я разлюбил природу, музыку, искусство, даже свое искусство. Потом я разлюбил людей, детей, цветы, стихи, книги, театр и многое другое. Наконец женщин — это последнее, что я разлюбил. Сужается круг, сейчас у меня остаются дети, семья, жена, дом. Немного тщеславия еще кое-как тлеет. Не горит любовь к искусству, к актерству, к мастерству. Самое страшное, что женщины ушли из моей жизни...»

Анастасия. Я вам уже рассказывала, Эльдар Александрович. У меня всегда было чувство, что мы с ним рано расстанемся. Мне было двенадцать с небольшим лет, когда раздался звонок из Ленинграда. Мама счастливая, в ночной рубашке, зажгла свет и села ждать у аппарата. Ведь тогда не сразу соединя-

Л.В. Вертинская
в фильме «Королевство кривых зеркал»

ли с междугородней. Я выбежала в коридор и спросила: «Что? Папа? Что, он умер?» Еще ничего не было известно, а я так сказала. Мама рассердилась: «Да ты что?! Что ты говоришь? Ну-ка иди отсюда». А на следующее утро мама нам сказала, что он умер. Мы плакали. Потом привезли гроб с телом. Папу везли из Ленинграда, поэтому он был в цинковом гробу. Панихида состоялась в здании, где впоследствии был «Современник», теперь оно снесено. И когда рушили здание театра, то строители нашли этот цинковый гроб. Представляете? Я помню, нас не пустили на кладбище. Уже был предел слез. Мы так рыдали, что нас просто решили не брать туда.

Марианна. После его смерти был сделан памятник, мама посадила две голубые ели около могилы, как бы две доченьки.

Анастасия. У него пристанище было только в Москве, в России. Он родился, по-моему, под кочевой звездой. Его путь был бесконечным. Он рано потерял родителей, рано ушел из дома, был на войне, странствовал по России, стал петь, покинул родину, объехал весь мир. Он как пастух, который не указывает стаду путь, а просто пускается туда, куда бредет само стадо в поисках своей травы...

ПРОЩАЛЬНЫЙ УЖИН

Сегодня томная луна.
Как пленная царевна.
Грустна, задумчива, бледна
И безнадежно влюблена.

Сегодня музыка больна.
Едва звучит напевно.
Она капризна, и нежна,
И холодна, и гневна.

Сегодня наш последний день
В приморском ресторане.
Упала на террасу тень,
Зажглись огни в тумане.

Отлив лениво ткет по дну
Узоры пенных кружев.
Мы пригласили тишину
На наш прощальный ужин.

Благодарю Вас, милый друг.
За тайные свиданья.
За незабвенные слова
И пылкие признанья.

На Тверской улице на доме, где квартира Вертинских, открывают мемориальную доску памяти великого Артиста. Настя, Марианна и Лидия Владимировна Вертинские

Они, как яркие огни.
Горят в моем ненастье.
За эти золотые дни
Украденного счастья.

Благодарю Вас за любовь.
Похожую на муки.
За то, что Вы мне дали вновь
Изведать боль разлуки.

За упоительную власть
Пленительного тела.
За ту божественную страсть,
Что в нас обоих пела.

Я подымаю свой бокал
За неизбежность смены,

За Ваши новые пути
И новые измены.

Я не завидую тому,
Кто Вас там ждет, тоскуя...
За возвращение к нему
Бокал свой молча пью я!

Я знаю, я совсем не тот,
Кто Вам для счастья нужен.
А он — иной... Но пусть он ждет,
Пока мы кончим ужин!

Я знаю, даже кораблям
Необходима пристань.
Но не таким, как мы!
Не нам, бродягам и артистам!

НЕСКОЛЬКО ЖИЗНЕЙ РОМАНА ГАРИ

Герой этой истории, Роман Гари, — блистательный писатель, удостоенный многих литературных премий, в том числе и Гонкуровской. Причем последней он удостоин дважды. Случай уникальный! Вернее единственный! Вот что сказал о нем Евгений Евтушенко: «...Роман Гари — это мое запоздалое, но счастливое открытие. Вы знаете, когда я прочитал его два романа, «Обещание на рассвете» и «Жизнь впереди», я был совершенно потрясен — как я раньше вообще мог существовать, не зная этого писателя?!»

Но если вы, дорогие мои читатели, думаете, что речь сейчас пойдет только о сочинителе, литераторе, то это не совсем так. Ибо Роман Гари прожил жизнь, полную захватывающих событий. Думаю, его биография — одна из самых грандиозных и интереснейших в двадцатом столетии.

Сколько поворотов судьбы, невероятных приключений, взлетов и падений довелось ему испытать! Этого хватило бы не на одну жизнь, не на одного человека. Он летчик — участник Второй миро-

Роман Гари

вой войны, Герой освобождения Франции. Его имя высечено на мемориальной плите среди имен одной тысячи воинов, удостоенных высшей награды Французской Республики, в Доме Инвалидов в Париже. А Дом Инвалидов — это музей боевой славы Франции.

Гари был еще и кадровым дипломатом. К примеру, он работал пресс-атташе Франции при Организации Объединенных Наций. Он служил генеральным консулом Франции в Лос-Анджелесе. У него случались невероятные, сногсшибательные романы с американскими кинозвездами. При этом ему хватало времени и сил, чтобы выпускать ежегодно по новому роману. Почти все они экранизировались крупнейшими постановщиками, а в фильмах играли самые популярные актеры и актрисы Америки и — Франции. Роман Гари — единственный в мире писатель, ставший, как мы уже говорили, лауреатом Гонкуровской премии дважды. А по статусу высшей литературной премии Франции можно стать ее лауреатом только один раз. Как ему удалось отхватить вторую премию? Секрет вы узнаете, прочитав эту маленькую документальную повесть.

Кроме того, Роман Гари был еще и кинорежиссером, сам ставил кинокартины по своим новеллам. Фильмы его запрещались во Франции, далеко не ханжеской стране, запрещались за безнравственность.

Россия, Польша, Франция, Англия, Болгария, Швейцария, вся Африка, США, Перу, Боливия — далеко не полный список стран, где действовал наш герой, выходец не то из России, не то из Литвы. Этот человек прожил, по сути, несколько жизней. Недаром я так и назвал повесть — «Несколько жизней Романа Гари». Начнем, как у нас с вами принято, от печки. Впрочем, герой наш был большим мистификатором. Так что, где была «печка», т. е. место, где он родился, известно не совсем. Наш герой настаивал, что он появился на свет в Москве. Другие данные утверждают, что это произошло в Вильно.

Родился он то ли в актерской семье, то ли в семье обывателей. Кажется, в 1914 году. К сожалению, о детских годах героя известно очень мало.

По версии нашего героя, его мама, Нина Борисовская, была актрисой. Она играла в небольшом французском театре в России. А его отцом был некто Леонид Кацев, возможно, тоже актер. У нас пишут «Ромен», учитывая французскую транскрипцию. А фамилию отца — «Касев (Kacew)». Но вот свидетельство Лесли Бланш, первой жены нашего героя: «Его настоящее имя — Роман Кацев. Я видела его документы, свидетельство о рождении...» Не поверить жене невозможно. Именно поэтому я так и буду его называть — Романом.

Почему-то сразу после того, как родился ребенок, родители внезапно разошлись. Что послужило причиной, мы не можем точно сказать. Однако всю жизнь Романа преследовала легенда, что он был незаконным сыном великого русского актера немого кинематографа Ивана Мозжухина. На письменном столе Гари многие годы стояла в рамке фотография Мозжухина. И если посмотреть на лица обоих, то видно, что они действительно очень похожи. Кажется, это один и тот же человек. Причем если взглянуть на их фотографии в разных возрастах, вы увидите, что и здесь невероятное, поразительное сходство. Но так это или не так, никто не знает. Хотя вроде бы известно, что мама была влюблена в Ивана

Мозжухина и что там случился роман. Однако мама никогда не обмолвилась сыну о тайне его рождения. А сейчас и вовсе спросить не у кого...

Итак, первым языком Романа Леонидовича Кацева, родившегося в России (ибо город Вильно в 1914 г. находился в России) был русский. Семь лет прожил маленький Роман с мамой на своей родине. А в 1921 году Нина Борисовская бежала из Советской России, спасаясь от холода, голода, тифа и прочих революционных опасностей. В вагоне для перевозки скота она везла своего сына в благословенную Францию, языком которой безупречно владела. Франция была страной мечты маленькой еврейской актрисы. На границе с Польшей мать, нянька и сын попали в карантин. Но энергичная мама бежала и оттуда, забрав няньку и сына. Ночью, проваливаясь по пояс в снег, они пересекли границу. Маленький семилетний Роман покидал Россию (причем навсегда) в обнимку со своим ночным горшком. Первая их остановка на пути во Францию пришлась на город Вильно. Так случилось, что эта остановка затянулась на семь с половиной лет. Вся эта версия была изложена (или сочинена) самим Романом во взрослые его годы. Читатель волен выбирать себе версию сам.

Вильно в те годы был маленьким захолустным провинциальным городом. Он не был тогда столицей Литвы, принадлежал Польше. Главным языком здесь стал польский. Мама родила Романа, когда ей уже было 36 лет. Она хотела отыграться за свою неудавшуюся актерскую карьеру, за свою горькую личную жизнь. Хотела взять реванш, как говорится, на судьбе сына. Поэтому мальчика принялись учить разным разностям.

Мать, как натура артистическая, считала, что наиболее короткий путь к славе, известности, популярности лежит через искусство. Она говорила: «Вот фамилия Кацев для скрипача очень хороша». Роману было тогда восемь лет. Ему купили футляр, скрипочку и пристроили к длинноволосому маэстро, который должен был его обучать музыкальным премудростям. Надо сказать, маэстро был человек, разочарованный всеобщей дисгармонией мира. Когда мальчик брал скрипку и начинал на ней играть, музыкант хватался за голову, затыкал уши и кричал: «Ай-ай-ай!»

Очевидно, игра Романа еще больше увеличивала эту самую дисгармонию, которую он наблюдал во Вселенной.

На десятом или двенадцатом занятии маэстро не выдержал. Он выдернул скрипку из рук ученика и прошипел, чтобы пришла мать. О чем говорил с ней скрипач, неизвестно, но карьера музыканта для Романа была с тех пор закрыта. Кстати сказать, 30 лет спустя, когда Роман стал генеральным консулом Франции в Америке, он вручал орден Почетного легиона знаменитому скрипачу Яше Хейфецу. Церемония происходила в Лос-Анджелесе, в зале невероятной красоты. Роман в элегантной красивой форме, вручив маэстро орден, пробормотал: «Да, а вот у меня с музыкой ничего не получилось».

«Что-что?» — переспросил Яша Хейфец.

«Нет, нет, ничего, всё в порядке», — консул поцеловал скрипача, и они вместе отправились на банкет.

Следующая попытка была связана с балетом. Романа определили в студию Саши Жиглова. Но, поскольку мама подозревала Жиглова в нехороших сексуальных наклонностях, она, оберегая сына, никогда не пропускала ни одного занятия. Роман, находясь в балетной стойке, исправно поднимал ногу вверх и опускал вниз. И мама кричала, глядя на своего любимого, обожаемого сына: «Нижинский! Нижинский! Он будет звездой балета».

Ей как актрисе были присущи пафос и преувеличение. Но в основе лежала сумасшедшая любовь к сыну.

Однажды, когда Роман после занятий мылся в душе, опасения матери подтвердились, ибо Саша Жиглов забрался к мальчику в кабину. Тот по наивности решил, что Саша хочет его укусить, и закричал. И тогда разъяренная мать просто погналась за руководителем балетной школы и отлупила его тростью. На этом и балетная карьера мальчика кончилась. Разумеется, в Вильно были и другие балетные студии, но мать уже поняла, что это добром не кончится. Она мечтала, чтобы мальчик в будущем любил женщин и чтобы женщины платили ему тем же. Балетная же профессия, как казалось маме, была непременно связана с сексуальными извращениями. Затем была попытка сделать из Романа великого певца. Мать преклонялась перед Шаляпиным. Профессия певца, думала она, вот звездный путь к вершинам. Но педагоги сказали, что у мальчика нет не только слуха и голоса, но и музыкальной памяти. Из этого тоже ничего не получилось.

Тогда решили окунуться в живопись. Живописью мальчик действительно увлекся. Его педагог по рисованию сказал, что у Романа большие способности. Но это заявление вдруг произвело на Борисовскую совершенно отрицательное впечатление. Она вспомнила о печальной судьбе Ван-Гога, о грустной участи Гогена. И сказала: «Если ты действительно окажешься талантлив, они же тебя сживут со свету». Кто «они», было неизвестно. Но мать стала прятать краски. Когда Роман подходил к мольберту и хотел что-то нарисовать, красок не было. Он злился, обижался, но в итоге, разумеется, победила мать. Так он постепенно отошел от занятий живописью. Кстати, потом Гари думал, что, может быть, пропустил свое подлинное призвание.

После того, как скрипка, пение, балет, живопись отпали, мама решила, что надо остановиться на литературе. Хотя там ей тоже многое не нравилось. Например, Мопассан был болен венерической болезнью, О. Генри тоже умер от какой-то нехорошей хвори... Но, тем не менее, литература была принята в лучших домах: Толстой был графом, а Виктор Гюго — президентом Франции. В последнем Нина Борисовская была свято убеждена, и сбить ее с толку не представлялось возможным. Даже будучи уже жительницей Франции, она продолжала считать, что Виктор Гюго — президент страны.

Для удачной карьеры писателя самое главное было выбрать псевдоним. Мать это знала твердо. Если фамилия Кацев хорошо подходила скрипачу, то писателю она совершенно не годилась. Возникали варианты: «Любер де Робер» и многие другие. Потом мама заявляла: «Дворянскую частицу «де» надо отбросить, вдруг опять случится революция?!»

Мама была наивной и очаровательной. Она делала для образования мальчика все возможное и невозможное, лишь бы он научился тому, что понадобится в жизни. Например, три раза в неделю водила его в манеж лейтенанта Свердловского, где Роман учился верховой езде, фехтованию и стрельбе из пистолета. Кстати, это ему потом пригодилось, — в его жизни была дуэль, причем с польским офицером. Но об этом позже. Во всяком случае, Роман очень метко стрелял.

Естественно, мальчик учился хорошим манерам. Мать часто рассказывала ему, как он, одетый в роскошный мундир, станет победителем на скачках — возьмет первый приз. Поэтому нужно уметь целовать дамам руки, быть обходительным, пропускать дам вперед. Кстати, однажды в Варшаве Роман, пропустив мать на выходе из трамвая вперед, пришел в недоумение, почему она так вознегодовала. Он просто еще не знал, что из трамвая кавалер должен выходить первым и подавать даме руку.

Мама вбивала в голову восьмилетнему малышу, как он должен вести даму под руку, какие говорить комплименты, какие делать подарки, учитывая цвет глаз, сумочек, туфель, платьев. Короче, учила его изысканным манерам и политесу.

Как-то раз она ему сказала: «Мальчик мой, ты никогда не должен брать денег у женщины. Ты можешь взять у нее «роллс-ройс», но денег не бери никогда». Правда, «роллс-ройс» в дальнейшей жизни Роману Гари никто из дам не предлагал. Но себя предлагали многие...

И вот я в Вильнюсе на улице, которая в 1921 году называлась Большая Погулянка, у дома номер 16. В этом доме и поселились беженцы из Советской России — мама, нянька и ребенок. Будем считать, что они были беженцами...

По моему рассказу о том, чему учили маленького Романа, может создаться впечатление, что Нина Борисовская была обеспеченна и у нее не было никаких финансовых проблем. Увы, это совсем не так. Кроме колоссальной энергии и неиссякаемой материнской любви у нее не было ничего. Но надо было как-то существовать, надо было кормить семью — сына и няньку. И Нина начала заниматься изготовлением и продажей дамских шляпок. Естественно, это были «парижские шляпки от Поля Пуаре». Она лихо подделывала этикетки. И шныряла по городу со шляпными картонками, прибегая к красноречию и актерскому мастерству, чтобы околпачить (во всех смыслах) своих клиенток.

Активность бывшей артистки — кстати, Нина Борисовская всё делала с некоторым перебором, с излишней бесцеремонностью, с налетом местечковости — раздражала соседей. Вскоре для изготовления «парижских» головных уборов Нина наняла шляпницу, а сама теперь занималась только коммивояжерством, сновала взад и вперед. Ее челночные операции привели к тому, что соседи организовали донос, попросту настучали в полицию, что Борисовская занимается скупкой краденого.

Нина была арестована, но вскоре выяснилось, что это навет. Ее выпустили. Она долго рыдала дома, среди шляпных коробок, а потом сказала: «Но они не понимают, с кем имеют дело!» И пошла по своему подъезду. Принялась звонить и стучать во все квартиры. На лестничную клетку вышли жильцы, и она стала на них кричать. Начался обмен ругательствами, но здесь Нина Борисовская не имела себе равных. Когда она ругалась, то невольно вспоминались русские пьяные извозчики, мужики и фельдфебели (очевидно, она прошла в России замечательную школу). Нина кричала: «Вы, грязные буржуазные твари! Вы не понимаете, с кем имеете честь разговаривать! Мой сын станет посланником Франции, он будет кавалером ордена Почетного легиона, великим актером драмы, он будет писателем, как Ибсен, Габриэль Д'Аннунцио...» В ответ скалились злобные лица, насмешливые и презрительные. «Грязные буржуазные твари» хохотали в голос, издеваясь над потешной дурой из России. И тогда, чтобы сразить их окончательно, она добавила: «Он будет носить костюмы лондонского покроя!»

И самое поразительное: почти всё, о чем мать Романа кричала на лестнице, практически сбылось. То ли она обладала даром пророчества, то ли так запрограммировала сына, что он невольно сделался всем тем, на что она его нацеливала. Ибо она это повторяла множество раз, год за годом, буквально вдалбливала это ему в голову. Роман Гари потом писал в одной из книг: «Я ненавижу лондонский покрой, но я вынужден носить одежду, сшитую в Лондоне».

Роман обожал мать.

Кстати, он еще писал, что вот такая безмерная любовь матери заставляет взрослого мужчину долго и, как правило, безуспешно искать любовь такой же силы у женщин. «Я столько раз искал среди женщин такую же прекрасную, безответную, беззаветную, слепую любовь, но каждый раз меня постигало разочарование». Любви, равной материнской, на земле не существует...

...От издевательств «грязных буржуазных тварей» мальчуган разрыдался и убежал во двор. Впервые у него появилась мысль о самоубийстве.

Впоследствии, много лет спустя, он осуществит это и рассчитается с жизнью выстрелом. Но совсем по другим причинам.

Во дворе находилась огромная, высотой с два

этажа поленница, любимое место детворы. Родители запрещали детям подходить к этой плохо сложенной куче дров. В любую минуту сооружение могло обрушиться, и ребенок был бы погребен. Забравшись в глубь поленницы, в свой тайник, Роман решил покончить с жизнью. Надо только толкнуть одновременно рукой, ногой и спиной одну из дровяных стен, и всё будет кончено, он останется в деревянной могиле.

Но в этот момент Роман вдруг вспомнил, что у него в кармане лежит кусок пирога с маком, который он днем украл у кондитера Мишки. Разумеется, сначала надо было съесть пирог, а уж потом кончать жизнь самоубийством. Он достал пирог, с большим аппетитом схряпал его и приготовился, так сказать, к последнему рывку. И в этот момент из поленницы вдруг высунулась морда облезлого кота. Они оказались нос к носу. И кот незамедлительно начал облизывать лицо Романа, на губах которого остались крошки пирога и мак.

От этой неожиданной ласки мальчику стало хорошо, тепло. Потом кот любовно куснул его за ухо, очень нежно. Тогда Роман достал из кармана остатки пирога и скормил коту. Он, конечно, понимал, что кот-то любил его не совсем уж бескорыстно, но, тем не менее, это была любовь. Роман осознал вдруг, что жизнь прекрасна и расставаться с ней не надо. Он выбрался из своего убежища, засунул руки в карманы и, засвистев, отправился гулять по улице. И запомнил на будущее: для того, чтобы тебя любили бескорыстно, неплохо всегда иметь в кармане кусок пирога...

Надо сказать, не все соседи восприняли одинаково сцену на лестничной площадке. Был среди них один, которого звали господин Пекельный — от слова «пекло», неказистый еврей. Каждый раз, встречая потом Романа, он с ним раскланивался, дарил ему оловянных солдатиков и даже как-то раз зазвал к себе домой, где стал угощать рахат-лукумом, который Роман невероятно любил. Заискивающе глядя на мальчика, он сказал:

— Когда ты станешь тем, о чем говорила твоя матушка...

Роман, набив рот рахат-лукумом, ответил:

— Я стану французским посланником.

— Так ты тогда скажи там, ты ведь, наверное, будешь книги писать или в газетах, ты тогда скажи, что вот здесь, в Вильно, на улице Большая Погулянка, шестнадцать, живет такой господин Пекельный.

И дальше происходит неслыханная вещь. В 44-м году, когда английская королева приехала инспектировать французскую эскадрилью «Лотарингия», которая летела бомбить Германию, штурман Роман Гари, стоя в строю, сказал Ее величеству странную фразу:

— Вы знаете, в городе Вильно живет такой замечательный человек, на улице Большая Погулянка, шестнадцать, господин Пекельный.

Он и сам осознал тогда, что это смешно — на него с иронией смотрел командир эскадрильи. Но Гари, понимая, что этот самый Пекельный, скорее всего, погиб в нацистских печах Освенцима или Майданека, и в дальнейшем продолжал упрямо рассказывать о нем. Будучи дипломатом, он говорил о Пекельном на разных приемах, став писателем, вспоминал о нем в различных интервью. Он оказался человеком, верным слову... Как говорил сам Гари, — «я расплатился за рахат-лукум». Однажды Роман получил сказочный подарок: роскошный велосипед, как раз соответствующий его возрасту. Он оторопел и спросил у няньки Аньелы:

— Это откуда? Кто прислал?

— Издалека, — бросила та очень злобно.

Он подслушал разговор, где плачущая мать говорила:

— Ну, а может быть, этот велосипед можно оставить?

Аньела возражала:

— Нет, он слишком долго о нас не вспоминал.

— Но все-таки это очень мило с его стороны.

— Нет, велосипед нужно отослать.

Роман страшно волновался, что лишится подарка. И все-таки в конце концов было решено, что велосипед останется у мальчика. Но мать не могла отпустить ребенка кататься на велосипеде одного, она наняла ему инструктора. И долговязый студент сопровождал Романа, когда он катался по мощеным мостовым Вильно.

Кто же все-таки прислал этот велосипед? Тайна...

Однажды мать и сын отправились в синематограф.

На экране лицедействовал красавец в черной черкеске и меховой шапке, с кинжалом за поясом.

Тапер наигрывал что-то душещипательное. А роковой герой смотрел с экрана, как казалось мальчику, в упор прямо на него.

Когда они возвращались с сеанса, мать до боли сжимала руку Романа и плакала. А дома попросила сына:

— Посмотри на меня...

И долго вглядывалась в него с загадочной нежной улыбкой. Опять тайна?.. В их тогдашней жизни случались периоды глубочайшей бедности, по сути, нищеты. Как писал потом Гари, у бедности нет дна. Тогда мать садилась и сочиняла кому-то письма. А через некоторое время приходили денежные переводы, благодаря которым жизнь на какой-то период улучшалась. Кому писала письма Нина Борисовская? Опять тайна.

Первый, кто приходит в голову — Иван Мозжухин.

Он прислал велосипед, ему писались письма с просьбами о деньгах, он блистал на экране в черкеске, после чего мать плакала, идя из кино... Может быть. А может быть, в жизни Нины Борисовской были и другие тайны. К сожалению, мы мало знаем о ранних годах ее жизни...

Нам известно, что Нина родилась примерно в 1878—80 году, в Киеве, в еврейской семье. Ее отец был часовщиком. В 16 лет неслыханно красивая барышня ушла из дому. Нам неведома ее настоящая фамилия. Мы знаем, что она была дважды замужем. И дважды разводилась. Откуда она знала французский язык, кто ее учил — неизвестно. Она иногда проговаривалась Роману, что бывала в Париже и в Ницце. Будучи актрисой, исколесила всю Россию. А когда началась революция, Нина с маленьким Романом, ему было три-четыре года, моталась по российской провинции, выступала перед революционными матросами, красноармейцами, перед самой разношерстной публикой.

Роман помнил, как сидел на закорках у матроса, чтобы увидеть мать на сцене. Самые первые годы его прошли за кулисами. И первые два слова, которые он смог прочитать самостоятельно, были: «Нина Борисовская» — актерский псевдоним матери, начертанный на гримуборной...

Легенда о том, что Гари — сын великого русского актера, прошла через всю жизнь Романа. Мне захотелось узнать, что думает по этому поводу автор книги о Романе Гари французская писательница Доменик Бона. Я протянул ей старинное фото Ивана Ильича Мозжухина с его автографом. Фото подарила мне одна из зрительниц на творческой встрече.

Доменик Бона: ...Когда вы мне дали эту фотографию, я в первый момент даже не поняла, что это Мозжухин, а подумала, что Роман Гари. Дело в том, что на фотографиях, сделанных сразу после войны, он был чрезвычайно похож на Мозжухина. Гари писал в своих сочинениях и, без сомнения, верил сам, что мог быть его сыном. Ведь он не был уверен в том, кто его подлинный отец. Он не знал господина Кацева, фамилию которого носил, а мать так и не рассказала ему правду о его происхождении. Так что, это одна из загадок его жизни, очень романтичная тайна. Конечно, для Романа Гари Мозжухин был бы идеальным отцом — отец из легенды, великий актер, сыгравший крупнейшие роли в немом кино. Но почему бы и нет? Почему мы не можем в это поверить, как в конце концов поверил сам Гари?!

Я хочу напомнить вам, дорогой читатель, о Мозжухине, об этом кумире десятых и двадцатых годов. Конечно, в телепрограмме это сделать было легче, чем в книге — мы просто показали несколько фрагментов из кинолент с участием знаменитого артиста. Здесь же придется ограничиться пересказом.

Популярность Ивана Ильича до революции не

Иван Мозжухин

уступала популярности Веры Холодной. Мозжухин — самая яркая звезда русского немого кинематографа. Он играл блестящих авантюристов, шикарных гвардейцев. Совершал благородные подвиги, освобождал прекрасных пленниц, скакал на роскошном коне, спасал отечество от бед и напастей. Если по сюжету требовалось вступить в любовную связь с очаровательной наследной принцессой, чтобы предотвратить всяческие заговоры, герой Мозжухина мужественно шел навстречу и этой опасности. В одной из кинолент он терпел страшные пытки и муки ради государя императора. На экране он был всегда великолепен, упоителен, неподражаем. Все женщины были у его ног. Он блистал и в классических ролях, таких, например, как Германн в «Пиковой даме» и князь Касатский в «Отце Сергии» — оба фильма поставлены Яковом Протазановым. Одной из его лучших работ была гомерически смешная роль Маврушки в комедии «Домик в Коломне» по А.С. Пушкину.

Мать Романа, конечно же, мечтала, чтобы сын ее осуществил в жизни всё то, что вытворял Мозжухин на экране. Она хотела невозможного: чтобы в Романе одновременно соединились такие персонажи, как лорд Байрон, Робин Гуд, Гарибальди, д'Артаньян, Ричард Львиное Сердце и так далее, и так далее.

И надо сказать, кое-что из этого Роману в самом деле удалось соединить...

Однажды, когда он вернулся с велосипедной прогулки, около их подъезда стоял роскошный кабриолет «паккард» канареечного цвета. Собралась толпа — в те годы автомобиль вообще был редкостью в Вильно, а такой попросту исключался. «Это к вам», — сказал Роману кто-то из толпы. Когда он взбежал наверх, Аньела схватила его, начала одевать, пудрить, причесывать, вообще приводить в христианский вид. Напомаженный и приглаженный херувим вошел в гостиную. Там сидел красивый человек с роковой внешностью. Рядом с ним восседала какая-то шикарная дама. Роман узнал мужчину, он видел его несколько раз в кино. Это был сам Иван Мозжухин!

И Роман заметил, что мать ведет себя как-то странно. Она, обычно державшая себя хозяйкой жизни, теперь сидела окаменевшая, с натянутым выражением лица. И явно чувствовала себя забитой и пришибленной. Роман понял, что должен блеснуть. Он подошел к даме, сопровождавшей Мозжухина, и, щелкнув каблуками, поцеловал ей ручку, а потом, уже совершенно обалдев, подошел и поцеловал руку Мозжухину. Это был кошмар! Он задним числом понял, какую промашку допустил. И разрыдался. Тогда Мозжухин посадил его на колени и обещал

Слева — Иван Мозжухин, справа — Роман Гари

покатать на «паккарде». Слезы у ребенка тотчас высохли. Прогулка на машине была упоительной.

А потом Мозжухин совершил жест в стиле своих киногероев. Уехав, он оставил этот автомобиль Роману и его матери на восемь дней. Шофер был в ливрее, желтый «паккард» стоял у подъезда. Мать использовала эту ситуацию на полную катушку. Каждое утро она одевала Романа — очень элегантно, одевалась сама — скромно, но достойно, и выезжала в город. Они посещали на этом автомобиле все аристократические, престижные, как сказали бы сейчас, места.

Борисовская небрежно кивала тем клиентам, которые когда-то ею пренебрегали или относились к ней свысока. Она брала сладостный реванш.

Вообще Мозжухин с тех пор регулярно появлялся в жизни мальчика, а потом и юноши. Приезжая в Ниццу на съемки, он всегда приглашал его в перво-

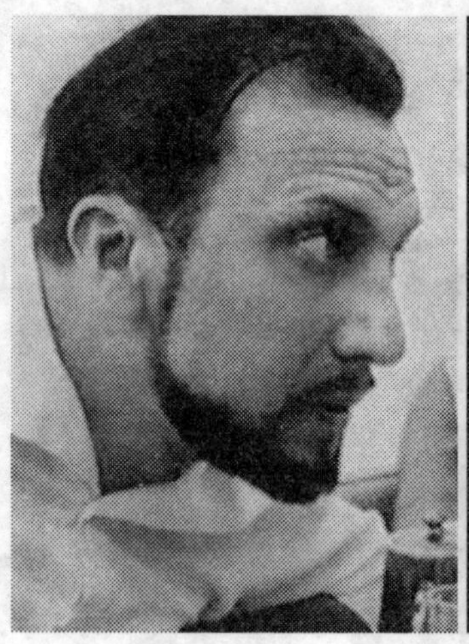

Загадка: «Где Мозжухин? Где Гари?»

классную гостиницу, где они пили кофе на террасе, выходящей на набережную Променад дез Англе, и беседовали. Мозжухин устраивал Романа в массовки фильмов, в которых снимался, чтобы тот мог подработать. И Гари вспоминал эти съемки с ностальгическим чувством — ведь платили 50 франков в день, что было неслыханно огромным гонораром для подростка...

После революции Иван Ильич эмигрировал из пылающей, бунтующей России во Францию и добился огромной популярности и там. Он стал артистом с европейской, даже мировой известностью. Его сгубил звук, пришедший в кинематограф. Из-за очень сильного русского акцента Мозжухина перестали снимать. И в годы Второй мировой войны он умер во французской больнице, всеми забытый, в безвестности и нищете. Гари всегда относился к Мозжухину с огромным пиететом, с почтением. В детстве он не знал, что Иван Ильич — его предполагаемый отец. Став взрослым, возможно, догадывался, но никогда не был уверен в этом до конца. Уже став знаменитым писателем, он часто приходил в парижскую синематеку, заказывал фильмы с участием Мозжухина и смотрел их один в пустом зале. А на его письменном столе парижской квартиры на рю дю Бак, как я уже говорил, стояла фотография Ивана Ильича в красивой рамке...

...Матушка Романа была женщиной предприимчивой. Для улучшения материальных дел она решила провернуть довольно крупную аферу, притом весьма дерзкую. Ей нужно было как-то поразить воображение модниц города Вильно, и она разослала всем приглашения, где говорилось, что в такой-то день на улице Большая Погулянка, 16, откроется «Новый дом парижских мод Поля Пуаре» в присутствии самого маэстро. Проблема состояла в том, как и где раздобыть этого самого маэстро. Но с фантазией у Нины Борисовской было всё в порядке. Сидя в своем салоне на розовом диване и куря одну папиросу за другой, она вынашивала наступательные планы. Кстати, если бы ее авантюра раскрылась, матушке Романа грозила бы тюрьма. И он стал бы круглым сиротой. Нина послала в Варшаву приглашение актеру Алексу Губернатису (Шолом-Алейхем и Самуил Маршак недаром утверждали, что любое слово может быть еврейской фамилией!). Это был третьестепенный артист, который в провинциальных захолустных театриках выступал с французскими шансонетками. Он знал французский язык, что было очень важно для роли, которую ему поручалось сыграть. Теперь он прозябал в варшавском театре. Но уже не играл, потому что был сильно пьющий человек, а шил парики для артистов. Ему было послано не только приглашение, но и железнодорожный билет от Варшавы до Вильно. Тем временем у входа в подъезд, где жили Роман с матерью, появилась вывеска, где золотыми буквами было написано: «Новый дом парижских мод месье Поля Пуаре». На торжественном открытии, или, как сказали бы сейчас, на презентации, мэтр Поль Пуаре из Парижа выглядел сногсшибательно. Узкие штаны обтягивали его тощие ягодицы, на плечах красовалась немыслимая клетчатая крылатка. Месье курил одну сигарету за другой и сыпал какими-то древними байками из парижской светской жизни. Он упоминал знаменитостей 20-летней давности. Дамы были очарованы, маэстро превзошел себя. Он даже прочитал монолог из пьесы Эдмона Ростана «Орленок», однако постепенно всё больше и больше хмелел, а под конец начал «клеить» жену дирижера местного оркестра. Тут мама Романа не выдержала, решительно уволокла его в комнату Аньелы и там заперла. А на следующий день отправила обратно в Варшаву. Алекс Губернатис был очень обижен и оскорблен, что ему не дали развернуться в полную силу. Но самое поразительное, что эта махинация прошла успешно и принесла плоды. Дела пошли хорошо. Борисовская наняла нескольких мастериц-швей. Теперь шили не только шляпки, но и платья. И Роман, которого мать с детства старалась приучить к женскому обществу, всегда присутствовал на примерках. Однажды произошла такая история. Местная певица, выступавшая под псевдонимом Ля Рар, была практически раздета, мать и мастерицы ушли куда-то, а Роман, которому было тогда лет девять, стоял в примерочной и ел рахат-лукум. При этом очень внимательно разглядывал мадемуазель певицу. Ей это не понравилось, и она спряталась за зеркало. Он обошел зеркало с другой стороны и, жуя рахат-лукум, продолжал разглядывать ее прелести. Когда мама вернулась, певица разразилась гневной филиппикой в адрес маленького наглеца. На этом первая часть сексуального образования мальчика закончилась... С самых ранних лет Роман слышал невероятную сказку о Франции. Франция была неизменной любовью матери. Она замечательно говорила по-французски, правда, с легким русским акцентом, и Роман унаследовал этот акцент на всю жизнь. Иногда он спрашивал у матушки: откуда ты знаешь французский язык? Она всегда отвечала уклончиво.

Почему-то в голове у матери Романа создался образ совершенно невероятной сказочной страны. Где всегда весна. Где все благородны. Где живут исключительно великие люди. Она произносила такие имена, как Сара Бернар, Проспер Мериме, Гюстав Флобер, Ги де Мопассан. Ги де Мопассан был ею особенно любим. Роман знал наизусть басни Лафонтена, пел «Марсельезу». У мамы была мечта, главная цель ее жизни — приехать во Францию, выучить Романа «на француза», чтобы он стал великим человеком. Эта бурная, кипучая натура посвятила поставленной цели всю себя. Она читала сыну биографии великих французских королей, деятелей культуры, полководцев. Он знал о Жанне д'Арк, о принце Конде, о Мазарини. Выдуманные литературные персонажи перемешивались с настоящими, с подлинными. «Дама с камелиями» соседствовала с Эмилем Золя, Наполеон Бонапарт с мадам Бовари, Жорж Бизе с д'Артаньяном. Мать всегда представляла Романа в роскошных костюмах, на раутах, на парадах. Для нее не было никакого сомнения в том, что он сделает потрясающую карьеру. Правда, она не знала точно, какую, но это и не имело значения.

Чуть не с пеленок она учила его галантности.

Она говорила: лучше прийти к женщине с маленьким букетом самому, чем прислать с большим букетом рассыльного.

Она говорила: никогда не ухаживай за женщиной, у которой много шуб, такая женщина потребует у тебя еще одну.

Она говорила: Роман, ты должен мне поклясться, что никогда не будешь брать денег у женщины.

И девятилетний малыш клялся.

Она показывала ему много французских открыток. Открытки изображали, как правило, парады, рауты, знаменитых людей. И мальчик, живущий в польско-литовской глуши, отлично знал интерьер самого модного парижского ресторана «Максим». А когда в Вильно, в это захолустье, приезжал из Варшавы театр, мать наряжала Романа в бархатную блузу с бантом. И они отправлялись смотреть оперетты. Шла или «Сильва», или «Веселая вдова».

Мальчик, затаив дыхание, раскрыв рот, смотрел на сцену и учился тому, как он должен жить впоследствии: пить шампанское из туфелек дам, красноречиво вздыхать и бонтонно ухаживать... Конечно, жизнь мальчугана была невероятной фантасмагорией. Роман, когда он был уже Романом Гари, французским классиком и богатым человеком, на склоне лет, живя в Париже, говорил о том, что очень хотел бы попасть в эту самую Францию, волшебную, сказочную, немыслимую. В страну, которую он полюбил с детства и о которой так упоительно рассказывала ему мать...

Но вот наступил период, когда благополучию семьи пришел конец. Роман заболел. Сначала это была скарлатина, потом осложнение на почки. Мать подняла на ноги лучших врачей Европы. Лечение стоило бешеных денег, но ее это не останавливало. Болезнь была какая-то страшная. И врачи приговорили мальчика к смерти. Здесь я хочу привести цитату из книги Романа Гари «Обещание на рассвете». Он пишет, почему ему удалось тогда выжить.

«Когда сознание возвращалось ко мне, я очень пугался. У меня было сильно развито чувство ответственности, и мысль оставить свою мать одну, без всякой поддержки, была мне невыносима. Я знал, чего она ждала от меня, и, лежа в постели и захлебываясь черной кровью, больше страдал не от своей воспаленной почки, а от мысли, что уйду таким образом от ответственности. Скоро мне должно было исполниться десять лет, и я мучительно сознавал себя неудачником. Я не стал ни Яшей Хейфецем, ни посланником, у меня не было ни слуха, ни голоса, и в довершение всего мне приходится так глупо умирать, не добившись ни малейшего успеха у женщин и даже не став французом. Еще сейчас я содрогаюсь при мысли, что мог тогда умереть, так и не выиграв чемпионата по пинг-понгу в Ницце в 1932 году.

Думаю, мое решение не сдаваться сыграло главную роль в предпринятой мною борьбе за то, чтобы остаться в живых. Каждый раз, когда страдальческое, постаревшее мамино лицо со впалыми щеками склонялось надо мной, я старался улыбнуться ей и сказать несколько связных слов, чтобы показать, что мне стало лучше и что всё не так плохо.

Я старался изо всех сил...»

А тем временем мать боролась за жизнь ребенка. Из Германии прибыл знаменитый профессор, который сказал, что нужна операция, иначе — смерть. Но мать от операции отказалась. Она хотела, чтобы в будущем ее сын был полноценно сексуальным. Ей объяснили, что он будет нормальным. Однако «нормальный» — это не тот критерий, который ее устраивал. Она мечтала, что сын будет донжуаном, сердцеедом, короче, сексуальным террористом. И мать заявила, что сама спасет ребенка. Обиженный немецкий профессор вернулся в Берлин.

А мать забрала Романа и повезла его в Италию, к морю. Там он впервые увидел теплую морскую стихию и полюбил ее. Средиземноморская природа и страстная воля к жизни матери и сына свершили чудо. Роман выжил.

Кстати, в 1942 году в госпитале в Дамаске он был еще раз приговорен к смерти. Его уже соборовали, а у тела был выставлен почетный военный караул. Но Роман обманул ожидания смерти и на сей раз. Опять выжил, назло всем докторам...

...Когда Роман окончательно выздоровел, они вернулись в Вильно. Там их ждал финансовый крах.

Заведение мадам Борисовской дало трещину. В отсутствие хозяйки руководила фирмой Аньела, но она была недостаточно опытна. Уйма денег ушла на лечение Романа и на Италию. В общем, пришлось объявить себя банкротом. Приходили оценщики, которые описывали мебель, потом вещи выносили из дома... Это была настоящая катастрофа. Те люди, которым мать снисходительно кивала головой из желтого кабриолета, теперь снова злорадно смеялись над ней. Надо было уезжать. Следующей остановкой на пути во Францию стала Варшава, столица Польши. Там жили родственники и знакомые. Мать надеялась, что ей удастся перебиться. Чем только не занималась Борисовская в Варшаве: и рекламой, и перепродажей всяческого старья, и продажей подержанных челюстей, где содержались крупицы драгоценного металла. Житье было очень скверное. Приют им дал родственник-стоматолог. Мать ночевала в комнате, где посетители ждали приема. А Роман спал просто-напросто в кабинете, в зубоврачебном кресле. Утром надо было срочно вставать и приводить помещения в порядок, как будто никто здесь не ночевал.

Учиться во французском лицее было не по карману. Роман ходил на частные уроки французского языка. А в школе заявил, что находится здесь вообще-то временно. Едет во Францию, потому что намерен стать французом.

Высокомерия мальчишке не спустили. Его одноклассники все время над ним подсмеивались и издевались. Они подходили и спрашивали в третьем лице — такое обращение принято в польском языке:

— А почему пан сейчас не уезжает во Францию?

Роман объяснял:

— Просто ехать в середине учебного года глупо.

Надо подождать, когда учебный год кончится. И к началу нового поехать.

Они спрашивали:

— А это правда, что каждый урок во Франции начинается с пения «Марсельезы»?

— Да, это правда.

— Может быть, пан споет нам «Марсельезу»?

И Роман, понимая, что над ним издеваются, не мог удержаться. Вставал в позу и пел «Марсельезу».

Мальчишки просто катались по полу от счастья и удовольствия, что такой дурак оказался в их классе.

Роман был выше всего этого. Но однажды произошла страшная история, которая как бы подтолкнула их отъезд во Францию.

Как-то группа однокашников подошла к нему, и один из них сказал:

— Я понимаю, почему пан не едет во Францию. Туда не пускают кокоток.

У Романа перехватило дыхание, он оцепенел, слезы навернулись на глаза. Это было несправедливо. У матери не было ни мужа, ни любовника, ни покровителя. Она билась одна, пыталась сопротивляться страшной жизни. Но он смолчал, не знал, что делать. И ушел домой.

А дома он рассказал матери об этом случае. И тут с ней что-то случилось. Она изменилась в лице, замолчала, замкнулась и стала курить одну сигарету за другой. Она не спала ночь, а утром, когда Роман встал, сказала ему совершенно чужим, злым голосом:

— В следующий раз, когда оскорбят твою мать, ты должен ответить. Иначе не возвращайся домой. Пусть лучше тебя принесут на носилках! Пусть лучше у тебя не будет ни одной целой кости. Ты обязан отомстить за свою мать.

И Роман заревел — от обиды, от горя, от бессилия. И тогда мать принялась его бить, давать ему пощечины одну за другой. Она никогда и ничего не делала вполсилы. И сейчас просто отлупила Романа, чтобы он запомнил. И приговаривала: «Пусть лучше тебя принесут мертвым, чем ты дашь возможность обидеть твою мать и спустишь это безнаказанно».

Этот урок Роман действительно запомнил.

Случай в Варшаве переполнил чашу терпения. И мать решила: пора ехать в страну обетованную. Она отправилась во Французское консульство с заявлением, где просила дать им постоянное место жительства во Франции. Ибо она хочет вырастить сына настоящим человеком, патриотом Франции, защитником своей будущей родины...

* * *

Свою книгу «Обещание на рассвете» Роман Гари написал, когда ему было 44 года. Эта книга, с моей точки зрения, шедевр литературы, потрясающий венок на могилу его матери. Книга преисполнена нежности и любви и вместе с тем иронии и даже сарказма. Автор все время посмеивается над причудами и выходками своей мамы, над ее замашками провинциальной актрисы, и при этом обожание сквозит в каждой строке. Рассказывая о французской жизни Романа, я буду опираться на книгу «Обещание на рассвете». И очень советую прочитать ее.

Итак, они приезжают в Ниццу. Роману тринадцать лет. Ему надо учиться, но денег нет ни копейки. Единственное, что есть — знание матерью французского языка. Однако этого одного явно недостаточно, чтобы выжить. И мать до самой своей смерти (она умерла через тринадцать лет) одна, без какой бы то ни было мужской поддержки, отважно и мужественно боролась за существование. Боролась, чтобы заработать на квартиру, на одежду, на еду. Вот свидетельство самого Романа, чем занималась мать в Ницце, на этом фешенебельном курорте, куда съезжались аристократы, богачи, кинозвезды со всего света — просаживать деньги, отдыхать, кутить, играть в казино.

«С утра она работала педикюршей в дамской парикмахерской, а днем оказывала те же услуги породистым собакам в заведении на улице Виктуар. Позже мать торговала бижутерией на комиссионных началах в киосках дорогих отелей: предлагала фамильные, в кавычках, драгоценности, ходя из отеля в отель, из дома в дом; она была совладелицей овощного прилавка на рынке Буффа, а также конторы по продаже недвижимого имущества, ей принадлежала четверть такси. Короче, я никогда ни в чем не нуждался. В полдень меня всегда ждал бифштекс, и никто в Ницце никогда не видел меня плохо одетым или обутым».

Однажды случилась грустная история. Роман вернулся из лицея. На столе его ждал роскошный бифштекс. Он с аппетитом ел, а мать при этом говорила: «Ты знаешь, я мясо не люблю. Я ем только овощи и фрукты, терпеть не могу мясо!» А после обеда он зашел на кухню и вдруг увидел, как мать, сидя на табуретке, вытирает хлебной коркой сковородку, на которой только что жарила мясо, и с жадностью поедает этот хлеб. И он понял, чего стоили ее заверения. Мальчик разрыдался и выбежал на улицу.

Мы знаем, мать воспитывала Романа рыцарем. Как-то один грязный, жирный одесский торговец сказал о Нине, что, мол, она корчит из себя аристократку, а на самом деле пела в кафе-шантанах. И 14-летний мальчишка не сдержался и влепил этому взрослому мужику две звонких пощечины, за что заслужил репутацию уличного хулигана. После этого трусливый торговец заявил: «Что вы хотите от отпрыска шарлатанки и проходимца?!»

Всю жизнь Романа Гари мучил комплекс безотцовщины. Он так и не знал, кто его отец. Легенда, что у матери был роман с Мозжухиным, дошла до его ушей значительно позже. И все-таки какой-то таинственный благодетель у матери был. Когда уж совсем становилось скверно, когда «костлявая рука голода» приближалась вплотную, мать садилась и писала кому-то письмо, вкладывая в конверт фото Романа. И вдруг приходили денежные переводы, благодаря чему Нина Борисовская могла как-то свести концы с концами, пока к ней снова не возвращалась финансовая удача.

Наконец матери повезло. Она устраивается управляющей в небольшой отель «Мермон». В этой должности она проработала до конца своих дней. Так что, какое-то материальное положение — стабильной бедности — наконец-то образовалось. Постояльцев отеля надо было кормить. Вот как Гари описывает ежедневные походы матери на рынок:

«Мама вставала в шесть часов утра, выкуривала три или четыре сигареты, выпивала стакан чаю, одевалась, брала трость и отправлялась на рынок Буффа, где она, бесспорно, царила... Это было средоточие разнообразных акцентов, запахов и цветов, где отборные ругательства парили над эскалопами, отбивными, луком-пореем и глазами заснувшей рыбы и где каким-то чудом, присущим только Средиземноморью, вдруг неожиданно возникали огромные букеты гвоздик и мимозы.

Мать ощупывала эскалоп, оценивала спелость дыни, с презрением отшвыривала кусок говядины, который мягко, с обиженным стоном шлепался на мрамор, тыкала своей тростью в сторону салата, который продавец немедленно бросался защищать всем телом, в отчаянии бормоча: «Прошу вас не трогать товар!», нюхала сыр бри, совала палец в мягкий камамбер и пробовала, причем она так подносила к своему носу сыр, филе, рыбу, что повергала в отчаяние смертельно бледных торговцев, и когда наконец, презрительно отбросив товар, она удалялась с высоко поднятой головой, то их возгласы, проклятия, брань и возмущенные крики сливались в единый старинный хор Средиземноморья... Мне кажется, что она провела на рынке Буффа лучшие минуты своей жизни... »

Роман помогал матери, исполняя функции администратора гостиницы, гида при автобусных экскурсиях, метрдотеля. Главное, он был обязан производить хорошее впечатление на клиентов — небогатых, милых, воспитанных англичан... Думаю, надо упомянуть и о первом любовном опыте подростка. Несмотря на бедность, мать наняла уборщицу Марьетт. Вот как вспоминает о своей первой женщине Роман: «Марьетт, девица с огромными лукавыми глазами, с сильными и крепкими ногами, обладала сенсационным задом, который я постоянно видел в классе вместо лица учителя математики. Это чарующее видение и приковывало мое внимание к его физиономии. Раскрыв рот, я не сводил с него глаз на протяжении всего урока, само собой, не слыша ни слова из того, что он говорил... Раздраженный голос месье Валю заставлял меня наконец вернуться на землю.

— Не понимаю! — восклицал он. — Из всех учеников вы производите впечатление самого внимательного: можно сказать, что порой вы буквально не сводите глаз с моих губ, и тем не менее вы где-то на Луне!

Это была правда.

Не мог же я объяснить этому милейшему человеку, что мне так отчетливо представлялось вместо его лица.

Короче, роль Марьетт в моей жизни возрастала — это начиналось с утра и длилось более-менее целый день. Когда эта средиземноморская богиня появлялась на горизонте, мое сердце галопом неслось ей навстречу, и я замирал на кровати от избытка чувств. Наконец я понял, что и Марьетт наблюдала за мной с некоторым любопытством. Она часто оборачивалась ко мне, уперев руки в бока, мечтательно улыбалась, пристально глядя на меня, вздыхала, качала головой и однажды сказала:

— Конечно же, ваша мать любит вас. В ваше отсутствие она только о вас и говорит. Тут тебе и всякие приключения, ожидающие вас, и прекрасные дамы, которые будут любить вас, и пятое, и десятое... Это начинает на меня действовать...

Голос Марьетт действовал на меня необычайно. Во-первых, он не был похож на другие голоса. Казалось, что он шел не из горла. Не знаю, откуда он возникал. Во всяком случае, он не доходил до моих ушей. Все это было очень странно.

— Интересно, что же в вас такого особенного?

С минуту поглядев на меня, она вздохнула и принялась тереть паркет. Оцепенев с ног до головы, я лежал как бревно. Мы молчали. Временами Марьетт поворачивала голову в мою сторону, вздыхала и опять принималась тереть паркет. У меня разрывалось сердце при виде столь страшной потери времени. Марьетт продолжала бросать на меня странные взгляды; ее женское любопытство и какая-то темная зависть были, вероятно, вызваны трогательными рассказами матери, рисовавшей ей картины моего триумфального будущего. Чудо наконец свершилось. Я до сих пор помню ее лукавое лицо, склонившееся надо мной, и чуть хриплый голос, доносившийся до меня, в то время как я парил где-то в иных мирах, в полной невесомости, а она теребила меня за щеку:

— Эй, не надо ей говорить. Я не смогла устоять. Я понимаю, что она тебе мать, но все же такая прекрасная любовь. В конце концов начинаешь завидовать... В твоей жизни никогда не будет женщины, которая любила бы тебя так, как она. Это уж точно.

Она была права. Но тогда я еще не понимал этого...

Через материнскую любовь на заре вашей юности вам дается обещание, которое жизнь никогда не выполняет. Поэтому до конца своих дней вы вынуждены есть всухомятку.

Позже, всякий раз, когда женщина сжимает вас в объятиях, вы понимаете, что это не то...»

А еще Гари написал о Марьетт:

«Я и сейчас глубоко благодарен этой доброй француженке, распахнувшей передо мной дверь в лучший мир. С тех пор прошло тридцать лет, и я честно признаюсь, что с того времени не узнал ничего нового и ничего не забыл... И пусть она знает, что щедро поделилась со мной тем, чем наградил ее Господь».

Я нарочно привел столь обширные фрагменты из книги Гари, чтобы вы, дорогой читатель, оценили легкость и юмор повествования. Юмор был свойственен Роману, о чем бы он ни писал. Приведу еще одно высказывание моего героя: «Инстинктивно, отчасти под влиянием литературы, я открыл для себя юмор, этот ловкий и безотказный способ обезоруживать действительность в тот самый момент, когда она готова раздавить вас. Юмор всегда был моим дружеским спутником; только ему я обязан своими крупными победами над судьбой. Никто не смог лишить меня этого оружия, которое с еще большей охотой я оборачивал против себя самого, а через себя против нашего общего удела, который я разделяю со всеми людьми. Юмор говорит о человеческом достоинстве, утверждает превосходство человека над обстоятельствами...»

Однако после того, как Марьетт просветила Романа, кровь кипела в его жилах, а взгляды стали жадно следить за каждой проходящей юбкой. Но оказалось, что без денег трудно гулять, как говорят на юге Франции. Из дома стали исчезать вещи — сначала один ковер, затем другой. Куда-то подевались теннисная ракетка, фотоаппарат, коллекция почтовых марок, собрание сочинений Бальзака, которым Роман был награжден за успехи во французском языке, и еще кое-какие пожитки. Мать заметила пропажи только тогда, когда испарилось трюмо, купленное ею накануне в надежде выгодно его перепродать. Роман ожидал страшного скандала. Но Нина была, конечно, экстраординарной женщиной. Она долго разглядывала сына — бить или не бить? — И наконец лицо ее осветилось торжеством и гордостью. Ее мальчик стал настоящим мужчиной. Материнское воспитание не пропало даром!..

Шли годы. Мать старела. Борьба за существование не украшала ее. У нее открылся страшный диабет. Случалось, что она теряла сознание на улице. Однажды ее привезли с рынка, где она упала без чувств. Придя в себя, она старательно заулыбалась, чтобы успокоить сына. Очевидно, эта картина так запечатлелась в сознании молодого Романа Гари, что одну из глав своей книги «Обещание на рассвете» он закончил такими словами:

«Я не чувствую себя виноватым. Но если все мои книги взывают к достоинству, справедливости, если в них так много и с такой гордостью говорится о чести быть мужчиной, то это, наверное, потому, что до 22 лет я жил за счет больной и измотанной старой женщины. И очень сержусь на нее за это».

Желание помочь матери, оправдать, воплотить ее мечты заставляет его теперь все свое время отдавать писательству. Он сочиняет новеллы, пишет рассказы, пробует себя в драматургии. И всё, что выходит из-под его пера, немедленно читается Нине. Та всегда в восторге: «Габриэль д'Аннунцио! Бальзак! Виктор Гюго!» После ее одобрения он рассылает свою писанину в литературные журналы. Но нет ни одного ответа.

Окончен лицей. Роман учится на юридическом факультете в Париже. И все время пишет, пишет, пишет. Один из его рассказов попадает к знаменитому писателю Роже Мартену дю Гару, автору «Семьи Тибо». Его отзыв был беспощаден: «Это сочинение написано взбесившимся ягненком». Деньги кончаются, опять надо обращаться к матери. Чувство стыда гложет Романа. И вдруг, когда осталось всего 50 франков, он покупает еженедельник «Грингуар» и там, о чудо, видит свой рассказ «Буря» и свою фамилию, напечатанную жирным шрифтом. Он получил за рассказ тысячу франков, и это казалось неслыханным богатством. А в Ницце еженедельник произвел сенсацию. Мать всегда носила его в сумке. И если затевалась какая-то ссора, она тут же выхватывала этот еженедельник, размахивала им и говорила: «Вы даже не понимаете, с кем вы разговариваете!»

Но второй рассказ все никак не публиковали.

А деньги кончились. Как объяснить матери, почему его не печатают? Надо было что-то предпринимать. И тогда он придумал выход из положения. Стал вырезать из журналов произведения других писателей и посылать их матери, сопровождая такого рода письмами: «Дорогая мама! Дело в том, что редакторы требуют от меня, чтобы я писал коммерческие рассказы. Я не хочу опускаться до этого уровня, и поэтому вынужден печатать свои рассказы под псевдонимами». Мать поверила в это безоговорочно. И однажды произошел нелепый, курьезный случай. Писатель, чей рассказ Гари вырезал и послал маме, умудрился остановиться именно в отеле «Мермон». Когда мать узнала, что у нее в гостинице живет самозванец, который присвоил произведение Романа, она чуть не отдубасила его тростью.

Но, тем не менее, надо было как-то зарабатывать. Ведь если он публикуется, значит, ему есть на что жить. Роман отказывается от материнских субсидий и принимается за работу. Кем он только не трудился в Париже! Перечисляю: гарсоном в ресторане на Монпарнасе; служащим домовой кухни «Завтраки, обеды и ужины», каковые он и развозил на трехколесном велосипеде; администратором отеля; статистом в кино; разнорабочим в гостинице «Папирус»... А еще он работал в зимнем цирке, был рекламным агентом туристической рубрики газеты и, по заказу одного репортера из еженедельника «Вуаля», занимался подробным анкетированием персонала более чем ста парижских домов терпимости. «Вуаля» так и не напечатал этой анкеты, и Роман с возмущением узнал, что трудился для конфиденциального туристического гида по «злачным местам». А самое обидное, что ему за это не заплатили, так как репортер бесследно исчез.

Роман наклеивал этикетки на коробки, раскрашивал жирафов на небольшой фабрике игрушек. Из всех профессий, которые он перепробовал в то время, самой неприятной оказалась работа администратором в гостинице на площади Этуаль. Его постоянно третировал главный администратор, который презирал интеллектуалов. А он знал, что Роман учится на юридическом факультете.

Так что, это был нелегкий хлеб. И тут случается наконец, второе радостное событие. Тот же журнал «Грингуар» печатает его второй рассказ...

Но вот окончен юридический факультет. С большим трудом Роман получил звание лиценциата прав. Как говорят у нас в кинематографе, Гари «взахлест» был зачислен курсантом Высшей летной школы, откуда через два года должен был выйти в чине младшего лейтенанта ВВС Франции. Это случилось в 1938 году. Роману 24 года.

Через два года Франция вступит в войну, но Роман об этом пока не догадывается. К этому моменту произошло некое событие, в результате которого наш герой чуть было не убил Гитлера. Это было так. Ничего не подозревающий Роман приехал на каникулы в Ниццу... Впрочем, не стану пересказывать эту леденящую душу детективную историю. Предоставим слово самому участнику этой отважной акции.

«...Мама встретила меня очень странно. Конечно, я ожидал счастливых слез, нескончаемых объятий и одновременно взволнованного и радостного сопения, но никак не этих рыданий, отчаянных взглядов, напоминавших прощание, — с минуту она, вздрагивая, плакала в моих объятиях, изредка отстраняясь от меня, чтобы лучше видеть мое лицо, потом в исступлении снова бросалась ко мне. Меня охватило беспокойство, я с тревогой спросил, как она себя чувствует, — не волнуйся, всё хорошо, дела тоже идут хорошо — да, всё хорошо, — после чего новый приступ слез и сдерживаемых рыданий. Наконец она успокоилась и, схватив меня за руку, с таинственным видом потащила в пустой ресторан; мы уселись в уголке за нашим столиком, и там она поведала мне о своем плане относительно меня. Всё очень просто: я должен ехать в Берлин, чтобы убить Гитлера и тем самым спасти Францию, а заодно и весь мир. Она всё предусмотрела, включая и мое спасение, так как, если предположить, что меня арестуют — хотя она прекрасно знает, что я способен убить Гитлера, не давшись им в руки, — но даже если предположить, что меня арестуют, то совершенно очевидно, что великие державы — Франция, Англия и Америка — предъявят ультиматум, требуя моего освобождения.

Признаться, я с минуту колебался. Идея немедленно ехать в Берлин, разумеется в третьем классе, чтобы убить Гитлера, в самый разгар лета, с сопутствующими этому нервозностью, усталостью и приготовлениями, абсолютно не улыбалась мне. Мне хотелось побыть немножко на берегу Средиземного моря — я всегда тяжело переносил разлуку с ним. Я предпочел бы перенести убийство фюрера на начало октября. Я без энтузиазма представил себе бессонную ночь в жестком, битком набитом вагоне, не говоря уже о томительных часах, которые придется, позевывая, провести на улицах Берлина, дожидаясь, когда Гитлер соблаговолит появиться. Короче, я не проявил энтузиазма. Но, однако, и речи быть не могло, чтобы уклониться. Итак, я взялся за приготовления. Я неплохо стрелял из пистолета, и, несмотря на отсутствие практики в последнее время, подготовка, полученная в школе лейтенанта Свердловского, еще позволяла мне блистать в тирах во время ярмарок. Я спустился в подвал, взял свой пистолет, хранившийся в фамильном кофре, и отправился за билетом. Мне стало несколько легче, когда я из газет узнал, что Гитлер отдыхает в Берхтесгадене, так как в разгар июльской жары я тоже предпочитал скорее дышать горным воздухом Баварских Альп, чем городским. Я также привел в порядок свои рукописи: несмотря на оптимизм моей матери, я вовсе не был уверен, что выйду из этого живым; написал несколько писем, смазал свой парабеллум и одолжил у друга, который был поплотнее меня, куртку, чтобы незаметно спрятать под ней оружие. Мое крайнее раздражение и дурное расположение духа усиливались еще и тем, что лето выдалось удивительно теплое, и после стольких месяцев разлуки Средиземное море еще никогда не казалось мне столь привлекательным, а пляж «Гранд Бле», как нарочно, был полон знакомых шведок с передовыми идеями. Все это время мать ни на шаг не отходила от меня. Ее взгляд, полный гордости и восхищения, сопровождал меня повсюду. Купив билет на поезд, я был приятно удивлен, что немецкие железные дороги делали скидку на тридцать процентов в связи с летними каникулами. И наконец накануне великого дня я пошел в последний раз искупаться. Вернувшись с пляжа, я нашел свою великую драматическую актрису в салоне, в бессилии сидящей в кресле. Как только она увидела меня, ее губы скорчились в детскую гримасу, она заломила руки, и, прежде чем я успел сделать какой-либо жест, она была уже на коленях, рыдая в три ручья:

— Умоляю тебя, не делай этого! Откажись от своего героического плана! Сделай это ради своей старой матери — они не имеют права требовать этого от единственного сына! Я столько боролась, чтобы вырастить тебя, сделать из тебя человека, а теперь... О Боже мой!

Она стояла с огромными от страха глазами, со взволнованным лицом, прижав руки к груди.

Я не удивился. У меня давно уже выработался иммунитет. Я хорошо ее знал и глубоко понимал. Я взял ее за руку.

— Но за билет уже уплачено, — сказал я.

Отчаянная решимость смахнула с ее лица последние следы страха.

— Они возместят мне его!— провозгласила она, схватив свою трость.

Я нисколько в этом не сомневался.

Итак, я не убил Гитлера. Как видите, довольно было пустяка...»

Может показаться, что это была сцена из жизни сумасшедших, но на самом деле всё не так просто. Мать Романа, конечно, была особым человеческим экземпляром, но и сынок, как вы вскоре узнаете, тоже оказался занятным фруктом...[1]

Итак, Роман закончил летную школу «Авора» в Провансе и должен был получить звание младшего лейтенанта. И вот торжественный выпуск училища. 300 курсантов стоят на плацу, построенные в ряд. С каждого из них портной снял мерки, для всех сшиты мундиры. У Гари денег не было, но мама прислала ему 500 франков, которые одолжила на рынке, где ее так хорошо знали. И вот все стоят в

---

[1] Учитывая склонность к мистификациям, невозможно отрешиться от мысли, что и в этом случае фантазия увлекла автора. Может быть, в жизни с уст матери сорвалась в беседе мечтательная фраза о том, как было бы красиво, если б ее сын убил Гитлера. А писатель развил эту мысль, учитывая характер матушки, в очаровательную историю.

ожидании аттестации. Одновременно идет распределение. Роман мечтает о том, что хорошо бы получить назначение куда-нибудь на юг, недалеко от Ниццы, чтобы он мог часто видеть свою мать.

Оглашаются списки, и вот уже процедура подходит к концу, а Роман все не слышит своей фамилии. Наконец церемония окончена, и Гари понимает, что он единственный из 300 курсантов, который не получил звания младшего лейтенанта. С ним поступили очень жестоко. Ему даже не дали звание сержанта или старшего капрала. Он получил самый низший офицерский чин — капрала. Это следующее звание после солдата. Он учился очень хорошо. И несомненно заслуживал самого лучшего назначения. Но выяснилось, — его не аттестовали потому, что он не был натурализованным французом. Для того, чтобы летать в небе Франции и защищать ее от врагов, нужно было более десяти лет быть ее гражданином. А Роман и его мать только три года назад получили гражданство. Гари вспоминает: «Я был убит, уничтожен, но даже, по-моему, улыбался. Товарищи стояли рядом, возмущенные этой несправедливостью». Но самая главная забота, которая тревожила и беспокоила Романа, — как он скажет об этом матери. Она ведь связывала с ним все свои честолюбивые надежды и замыслы. Если поведать ей всю правду, то рухнет ее святая вера во Францию, в страну, на которую она молилась всю жизнь. Этого Роман допустить не мог.

Он ехал домой убитым. И только за несколько километров до Ниццы вдруг понял, что скажет матери.

Он явился в зал отеля «Мермон» и сразу же поймал ее взгляд. Это был взгляд затравленного зверя, ибо мать сразу поняла, что сын — не офицер, а всего-навсего капрал. Он сказал:— Иди, иди сюда, я тебе должен объяснить. Это временно, это временная заминка. Иди сюда, чтобы нас никто не слышал.

Он потащил ее в зал ресторана, и они сели за свой столик, где вели серьезные беседы. И Роман продолжал:— Это дисциплинарное взыскание, через полгода его снимут. Дело в том, что я обольстил жену коменданта школы. Я знал, на что иду, но не мог устоять. Понимаешь, а денщик засек нас и донес.

У матери на лице появилось этакое заинтересованное выражение — она вспомнила Анну Каренину, свои романтические мечты о многочисленных любовных победах сына...

— А она красива? — спросила мать Романа.

— Очень, — ответил он.

— Скажи, она тебя любит?

— Да, любит.

— У тебя есть ее фотокарточка?

— Нет, но она обещала прислать.

И тут взгляд матери стал довольным и лукавым.

— Дон-Жуан, Казанова! Я горжусь тобой, мой мальчик. Ты будешь ей писать?

Роман замялся.

— Ты должен ей обязательно написать! — сказала мать, и лицо ее засветилось гордостью. — Единственный из трехсот, который не получил звания младшего лейтенанта! Какой молодец! Расскажи мне всё подробно.

«Моя мать обожала, — писал Роман Гари, — красивые истории. И я их рассказал ей очень много...»[1]

...Роман Гари приехал в часть, куда получил на-

---

[1] Красивые истории наш будущий сочинитель рассказывал потом и своим читателям.

значение капралом. Ему досталось от солдатни. Все знали его историю, знали, что он — неудавшийся курсант. Они называли его лейтенантом отхожих мест. И действительно, в течение нескольких месяцев Роман занимался тем, что чистил уборные. И говорил при этом, что смотреть на места общественного пользования ему было приятней, чем на лица солдафонов.

Перед войной он уже был инструктором летной школы. Совсем незадолго до начала войны, в 1939 году, Роману прямо к самолету принесли телеграмму: «Мать серьезно больна. Немедленно приезжайте».

Ему понадобилось двое суток, чтобы добраться от аэродрома до Ниццы. Он взял на вокзале такси, ворвался в отель «Мермон», стремглав взбежал в каморку, где жила его мать... Но там никого не было, уже стоял запах нежилого помещения. Ему сказали, что ее перевезли в клинику «Сен-Антуан». Он рванул туда. И там, в больничной палате, нашел осунувшуюся, измученную мать, которая выглядела очень плохо. Вид у нее был растерянный и виноватый, а в изголовье, на самом видном месте стояла фотография Романа, снятая, когда он выиграл турнир по пинг-понгу в 32-м году в Ницце.

Роман просидел у нее двое суток, не снимая фуражки, козырек которой прикрывал его глаза. А потом наступило время, когда ему надо было возвращаться в полк. Вот как описал Роман Гари в книге «Обещание на рассвете» прощание со своей матерью.

«Главное, за меня не беспокойся. Я старая кляча. Раз до сих пор протянула, то и еще продержусь. Сними фуражку». Я снял. Она перекрестила мне лоб и по-русски сказала: «Благословляю тебя». Моя мать была еврейкой. Но это не имеет значения. Главное было понять друг друга, а на каком языке мы говорили, было неважно. Я направился к двери, мы еще раз улыбнулись друг другу. Теперь я чувствовал себя совершенно спокойно. Какая-то частичка ее мужества перешла ко мне и навеки во мне осталась. Ее мужество и сила воли до сих пор живы во мне и только затрудняют мне жизнь, не давая отчаиваться».

Больше они уже никогда не увидятся...

* * *

О военной одиссее Романа Кацева (он еще не стал Гари) можно было бы написать отдельный роман. Но я ограничусь несколькими наиболее колоритными случаями. Франция мгновенно проиграла войну. Воспринятый от матери несуразный, слепой патриотизм Романа заставлял его верить до последних минут, что его Родина (а ею он считал Францию) обязательно победит. Капитуляция повергла его, как и немало других французов, в шок. Часть военных хотела продолжать войну, перебраться в Северную Африку, в колонии, и оттуда оказывать сопротивление фашистам. Другие связывали надежды с Англией, откуда молодой полковник де Голль 16 июня 1940 года призвал французов к освобождению Отечества. Патриотически настроенные солдаты и офицеры стали искать пути, чтобы перебраться в Лондон. Однако тех, кто хотел продолжать войну с немецкой армией, коллаборационистское правительство объявило дезертирами и изменниками.

Аэродром Бордо-Мериньяка представлял собой в июне 40-го странное зрелище. Здесь столпилось огромное количество самолетов, выпущенных Францией за последние четверть века, эдакая своеобразная ретроспектива. На этих самолетах бежали от немцев военные и штатские, генералы и рядовые, вывозились из парижских домов ковры, собаки, канарейки, кошки, ценная живопись, кое-какая мебель, а также дети, проститутки, старухи...

Роман был, разумеется, среди тех, кто намеревался отправиться через Ла-Манш. Идея была проста: угнать с товарищами, настроенными так же, как он, один из самолетов и перелететь в Англию. Это было опасно, самолеты охранялись, и любая неудачная попытка кончилась бы военным трибуналом. Не говоря уж о том, что молодые летчики освоили только две модели самолета, а чтобы поднять в воздух незнакомую модель, не мешало бы подучиться. Три товарища, Пьер-Жан де Гаш, Клеман по прозвищу «Красавчик» и Роман, присмотрели для побега самолет «Дена-55». Это была новая машина, никто из них на ней не летал. Наступило время побега в Лондон. Они выслушали последние инструкции механика, который сочувствовал им и помогал, и стали усаживаться в самолет. Им предстояло в сопровождении механика сделать круг над аэродромом, освоиться с приборами, самостоятельно произвести посадку и, оставив механика на земле, снова взлететь и взять курс на Англию. Де Гаш, в биографии которого было больше всего летных часов, был первым пилотом. Он дал знак, и все они стали затягивать лямки парашютов. Роман немножко замешкался — были проблемы с поясом. Но он справился с этим и уже занес ногу на трап. Но тут, выкрикивая его имя и жестикулируя, к самолету подъехал на велосипеде дежурный.

— Сержант, вас срочно вызывают на командный пункт. К телефону.

Звонить могла только мать. Больше было некому. Как она пробилась сквозь хаос и неразбериху средств связи поверженной страны, было невозможно понять. Товарищи решили, что сделают пробный круг без Романа, а высаживая механика, заберут его у ангара. Одолжив велосипед у дежурного капрала, Роман помчался по летному полю. Поравнявшись с командным пунктом, он взглянул на взлетающий «Дена-55». Самолет уже набрал высоту метров в 20—25. И вдруг... на несколько секунд неподвижно завис в воздухе, потом накренился на одно крыло, спикировал на землю и, рухнув, взорвался. Роман замер, глядя на столб черного дыма. Потом ему часто приходилось видеть такой столб над погибшими самолетами... Тогда он пережил первый из ожогов внезапного и полного одиночества. Их будет еще очень много. А вот что написал потом сам Роман о своем последнем телефонном разговоре с мамой: «Я не в состоянии передать, что мы друг другу говорили. Это был набор криков, слов, всхлипов, которые не поддаются членораздельному воспроизведению. С тех пор мне всегда казалось, что я понимаю зверей... После того телефонного разговора я всегда узнавал крик самки, потерявшей своего детеныша... Мать закончила комическими словами из жалкого поэтического словаря... Я вдруг услышал далекий всхлипывающий голос:

— Мы победим!

Этот последний, несуразный крик наивнейшего человеческого мужества вошел в мое сердце и остался в нем навсегда, став моей сутью».

Следующая попытка Романа уговорить трех летчиков совершить угон самолета окончилась плачевно: они его так отвалтузили, что сильно повредили нос, который ему по-настоящему исправили только около двух лет спустя в военном английском госпитале — Роман попал туда после очередного падения самолета.

Потом в летной среде возникло мнение, что война все-таки продолжится в Северной Африке. Летная школа начала перебазировку в Алжир. Но тут вышел приказ, запрещающий вылет всех самолетов. Однако лейтенант Деляво и Роман подняли в воздух самолет «Потез» и полетели через Средиземное море. Бензина хватить было не должно, но и подзаправить машину было уже нереально. Взяв с собой две автомобильные камеры, которые должны были выступить в роли спасательных кругов, эти отчаянные сорви-головы пустились в полет. Им повезло. Дул попутный ветер, и им удалось приземлиться в городе Мекнесе, когда горючего фактически уже не осталось. Но власти Северной Африки тоже согласились на перемирие, и все самолеты были поставлены на прикол...

А вот выходка, которую устроила Нина Борисовская после того, как услышала обращение де Голля к французам.

На рынке Буффа она взгромоздилась на стул рядом с овощным лотком месье Панталеони и, потрясая тростью, стала призывать добрых людей не принимать перемирия и отправляться в Англию продолжать борьбу вместе с ее сыном, известным писателем, который уже наносит врагу смертоносные удары. Кончив тираду, она пустила по кругу страничку еженедельника, в котором был опубликован рассказ сына. Думаю, над ней, скорее всего, смеялись...

Дальше Роман предпринял попытку уговорить английского консула в Касабланке выдать ему для проезда в Англию фальшивые документы. Консул отказал. Потом наш герой решил угнать с аэродрома в Мекнесе «Моран-315». Он уже забрался в кабину самолета, чтобы сначала освоить незнакомый аппарат, а потом взлететь, но тут его заметили два жандарма, караулившие ангар. Роман попытался завести мотор, но винт не вращался. Жандармы уже выхватили револьверы. И Роман, тоже выхватив из кобуры оружие, выкатился из самолета и помчался по полю, петляя, как заяц. Охранники были от него метрах в тридцати. Но он был молод и изо всех сил спасался. Ему удалось убежать через кусты, выскочить на шоссе и влезть в какой-то рейсовый автобус. Несколько дней он скрывался в злачном квартале Мекнеса, в публичных домах. В это время из Северной Африки в Англию вывозили контингент польских войск. Благодаря знанию польского языка Роман под видом польского солдата поднялся на борт корабля и, спрятавшись в угольном бункере, добрался до Гибралтара. Там, на рейде, он увидел судно под французским флагом и бросился вплавь, чтобы добраться до него. Предстояло проплыть два километра. Роману это удалось. Когда французский сержант увидел вылезшего из воды голого человека, он даже не удивился — такое уж сумасшедшее было время. Семнадцать суток продолжался морской переход от Гибралтара до Глазго. Когда Роман Кацев зачислялся добровольцем, у него была соблазнительная возможность присвоить себе чин младшего лейтенанта, которого его несправедливо лишили по окончании летной школы в Аворе. Но, мысленно посоветовавшись с матерью, он понял, что она бы этого не одобрила. Пришлось остаться сержантом. Война шла, но без участия Романа, который рвался к подвигам, ибо их ждала от него мать. Было много дурацких ситуаций вроде дуэли из-за женщины с польским офицером или поручения сопровождать в другой город гроб с телом застрелившегося французского пилота, когда в результате хорошей выпивки и путаницы двое капралов и Роман привезли на похороны вместо гроба с мертвым товарищем запечатанный ящик с бутылками пива «Гиннесс». Спасая честь мундира, этот ящик, накрыв трехцветным флагом, торжественно похоронили под молитвы священника и залпы почетного караула.

Вскоре после приезда в Англию Роман получил первые письма от матери. Они тайно переправлялись из Швейцарии. Письма не были датированы. Всю войну, три с половиной года, материнские письма находили Романа. Эти письма поддерживали в нем дух и волю, и «словно через пуповину моей крови передавалось мужество более закаленного сердца, чем мое собственное».

«Мой горячо любимый сын, — писала старая женщина, сидя в отеле «Мермон», — вся Ницца гордится тобой. Я побывала в лицее у твоих преподавателей и рассказала им о тебе. Лондонское радио сообщает нам о лавине огня, которую ты низвергаешь на Германию, и они правы, что не упоминают твоего имени. Это могло бы навлечь на меня неприятности...»

Роман понял, что эхо его «подвигов» дошло до ушей торговцев рынка Буффа. Но дело заключалось в том, что ему до сих пор не удавалось встретиться в схватке с врагом. Их эскадрилью перевели в Африку. Его преследовала цепь неудач. Однажды их самолет, где он был вторым пилотом, попал в песчаную бурю, зацепился за дерево и упал, уйдя на метр в землю. Летчики остались целы. Буквально через несколько дней Роман испытал еще одно потрясение: упал, перевернулся и загорелся на взлете самолет «Бленхейм». Экипаж еле успел спастись. Третья катастрофа произошла с самолетом, летевшим в Каир. Этот «Бленхейм» разбился в джунглях, на севере Лагоса. Пилот и штурман погибли, а Гари, летевший пассажиром, осваивавшим маршрут, не получил ни царапины. Его нашли через двое суток, — он был без сознания, в адской жаре, в закупоренной кабине самолета, где спрятался, спасаясь от чудовищных зеленых африканских мух. «Мой прославленный и любимый сын! Мы с восхищением читаем в газетах о твоих героических подвигах. В небе Кельна, Бремена, Гамбурга твои расправленные крылья вселяют ужас в сердца врагов...»

В Центральной Африке изношенный самолет Кацева на бреющем полете врезался в стадо слонов. Пилот и один слон погибли, Роман опять остался цел. В Ливии, куда они перебазировались, готовя новое наступление на Роммеля, Роман заболел тифом с кишечным кровоизлиянием. Врачи считали, что у него один шанс из тысячи, чтобы выжить. Ему сделали пять переливаний крови. Его товарищи-летчики дежурили у койки, сменяя друг друга и отдавая свою кровь. На пятнадцатый день врачи сказали, что Роману осталось жить несколько часов. В его палату доставили гроб. Тело Гари было покрыто гнойными язвами, воспаленный язык распух, левая сторона челюсти, треснувшая в одной из аварий, загноилась, а кусочек кости, отколовшись, торчал из десны наружу. Он продолжал истекать кровью. Ледяные простыни, в которые обертывали его тело, через секунду становились горячими. И в довершение всего огромный солитер в это же самое время метр за метром выходил из его внутренностей. Вдруг Роман увидел святого отца, вошедшего в палату, чтобы причастить умирающего. Он отослал его и потерял сознание.

И все-таки он не умер. Началось медленное, тяжелое выздоровление. Едва придя в сознание, Роман задал первый вопрос: когда сможет вернуться

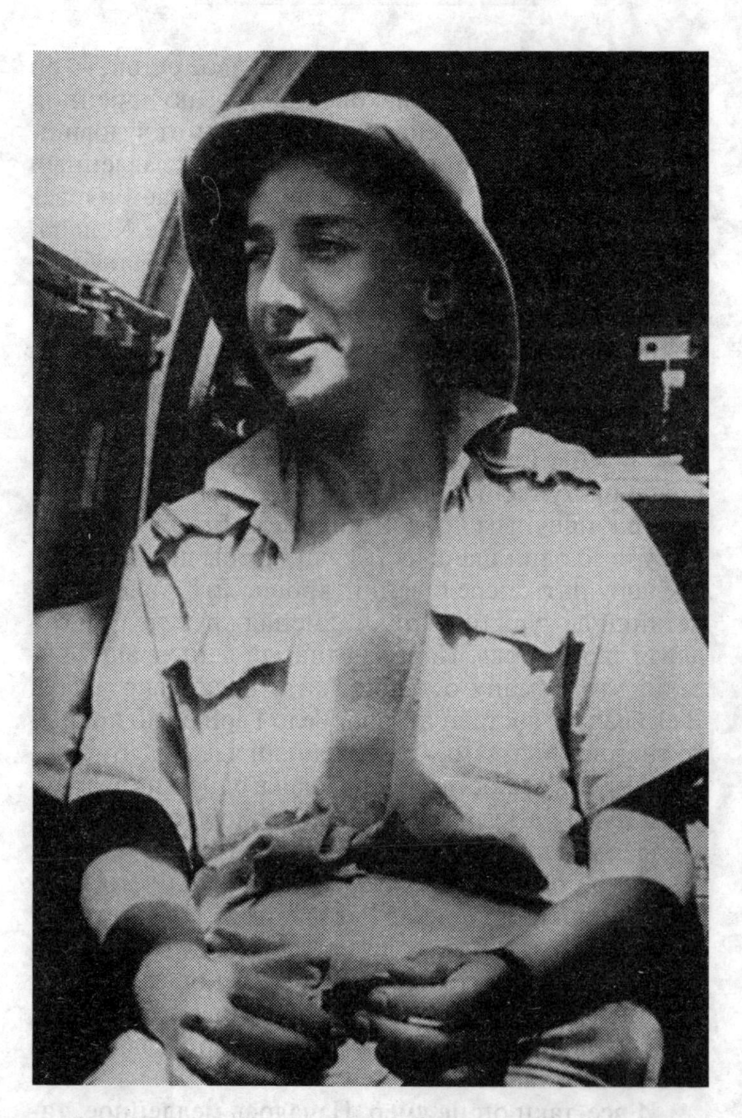

Летчик Роман Гари на войне в Северной Африке. 1941 г.

на фронт? Врачи развеселились. Они не были уверены, сможет ли он ходить...

После госпиталя его отправили в отпуск, на реабилитацию, в Долину Фараонов, в Луксор. Там он продолжал писать свой первый роман «Европейское воспитание», который начал еще в 1940 году в свободные минуты между вылетами, в лазаретах, во время ремонта самолетов. Опять пришло письмо от матери — Роман не писал ей уже больше трех месяцев, но почему-то в ее письме не ощущалось никакого беспокойства. Последнее письмо, судя по дате на конверте, было отправлено после того, как она не получала от Романа никаких вестей несколько месяцев. Очевидно, она отнесла это на счет почты.

«Дорогой мой мальчик. Умоляю тебя, не думай обо мне, не бойся за меня, будь мужественным... Поскорее женись, так как тебе всегда будет необходима женщина рядом. Быть может, в этом моя вина. Но, главное, быстрее постарайся написать хорошую книгу, так как потом она будет тебе большим утешением. Ты всегда был художником... Я хорошо себя чувствую. Старый доктор Рязанофф мною доволен. Он передает тебе привет. Мой дорогой мальчик, будь мужественным. Твоя мать».

Что-то в этом письме тревожило Романа. Что-то в нем было не так. Он впервые уловил в материнском послании нотку отчаяния, в нем чувствовалось несвойственная серьезность и выдержка. Слава Богу, главное — жива...

За пять фунтов египетский таксист Ахмед облачился в военную форму Романа и прошел медосмотр в английском каирском военном госпитале вместо него. В августе 1943 года эскадрилью, где воевал Роман, перевели в Англию, на военно-воздушную базу в Хартфорд-Бридж.

Каждое серое промозглое утро на бомбардировщике «Бостон» пилот Арно Ланже, штурман Роман Кацев и стрелок Бодан летали бомбить военные и промышленные объекты нацистской Германии. Каждый день какой-нибудь из вылетевших экипажей не возвращался. Как сказал Гари: «Небо для меня пустело все больше и больше». А по ночам в гофрированной хибарке он писал свой роман. Изо рта шел пар, руки коченели, несмотря на то, что он был в летной куртке и меховых сапогах. А утром отправлялся в очередной боевой вылет. Закончив роман, он послал рукопись Марии Будберг. Каким образом он на нее «вышел», как говорят нынче, неизвестно. (Кстати, именно тогда впервые появился псевдоним, который стал литературной фамилией нашего героя. В детстве мать ему пела старинный русский романс «Гори, гори, моя звезда»... Первое слово этой песни, заменив «о» на «а», Роман и поставил на титульном листе своей первой книги.

О Марии Игнатьевне Закревской, девичья фамилия Бенкендорф (фамилия первого мужа), Будберг (фамилия второго мужа) следует сказать особо.

Мура (так ее звали близкие) была женщиной незаурядной, с экстраординарной судьбой. Будучи любовницей английского дипломата Локкарта, она была арестована в Советской России в связи с обвинением его в шпионаже в 1918 году; прошла через застенки ЧК; говорят, к ней был неравнодушен заместитель Дзержинского Петерс — возможно, не без взаимности, ибо Локкарт был освобожден. Потом Корней Чуковский познакомил Муру с Максимом Горьким, и она стала его близкой подругой, по сути, женой. Уехала с ним в Италию и оставалась рядом вплоть до 1928 года, когда великий пролетарский писатель вернулся в СССР. Именно ей Горький оставил ящик секретных архивных документов, которые побоялся везти на родину, начинающую становиться тоталитарным государством. Существует мнение, что Мура, испугавшись угроз ЧК—НКВД, привезла архивы Горького чуть ли не лично Сталину. И еще над ее головой витает страшное подозрение, что она непосредственно причастна к убийству Алексея Максимовича. Тех, кто интересуется судьбой этой загадочной особы, отсылаю к книге Нины Берберовой «Железная женщина», посвященной жизненному пути Закревской-Бенкендорф-Будберг.

В то время, когда Роман послал ей свою рукопись, Мария Игнатьевна была невенчанной женой великого фантаста Герберта Уэллса.

И вот наступило 23 ноября 1943 года. Этот день сыграл в жизни Романа Гари очень важную роль. Они летели бомбить военные немецкие заводы. И попали в зону зенитного обстрела. Некоторое время они летели в гуще разрывов. Вдруг Роман услышал в наушниках, как вскрикнул пилот Арно Ланже. А потом раздался его хриплый голос:

«Я ранен. Ничего не вижу. Я ослеп».

И в это же время сам Гари почувствовал, что ранен в живот. Летчикам перед полетами выдали стальные шлемы. Американцы и англичане использовали их по назначению, то есть надевали на головы. Французы же прикрывали другую часть тела, которую считали более существенной. Убедившись, что драгоценный орган не пострадал, Роман облегченно вздохнул. Самолет вышел из зоны обстрела. Гари понимал, что теперь он должен взять обязанности пилота на себя. Но в бомбардировщике «Бостон» кабины пилота и штурмана были разделены стальной перегородкой, проникнуть в пилотскую кабину было невозможно. Дальше удивительный полет проходил как бы под суфлера. Штурман Гари передавал ослепшему летчику команды, которые тот виртуозно выполнял. Выполнял наощупь! Они приняли решение лететь дальше и бомбить цель, которая им поручена. После того, как бомбы были сброшены, Гари продолжает руководить слепым пилотом. «Бостон» поворачивает в сторону Англии. Экипаж решает, что когда они достигнут берегов Великобритании, то прыгнут с парашютом. Но выясняется, что кабину летчика Ланже заклинило, верхний люк не открывается. Ни Гари, ни стрелку-радисту даже не приходит в голову, что они могут бросить товарища и спрыгнуть на землю одни, оставив раненого пилота погибать... И тогда они решают произвести посадку на свой аэродром. Операция предстояла очень опасная.

Первая попытка не удалась. Они промазали, пролетели мимо. Вторая тоже не удалась. И только с третьей попытки они смогли посадить самолет на взлетно-посадочную полосу. Это был первый случай в истории французских ВВС, да, может быть, и в истории всей авиации, когда слепой летчик посадил самолет по указаниям штурмана.

За этот подвиг каждый член экипажа самолета эскадрильи «Лотарингия» был представлен к боевой награде — Кресту Освобождения.

Несколько слов об этом ордене. Почему де Голль именно этот орден ценил больше всего?

Этот вопрос я задаю Николаю Вырубову, герою Франции, кавалеру многих боевых орденов, в том числе и Креста Освобождения.

Вот что он ответил: «Когда де Голль возглавил движение «Свободная Франция», он считал, что не имеет права давать ордена. Ибо он не глава государства, не глава правительства. Орден — это национальная награда, дается от имени государства. Поэтому он не мог награждать, скажем, Почетным легионом. И тогда он создал свой орден. И с самого начала решил, что будет только одна тысяча крестов. Из них триста или четыреста оказались посмертными.

Имена кавалеров этого ордена выбиты золотом при входе в Дом Инвалидов. Среди них не только французские фамилии. Дмитрий Амилахвари, Николай Вырубов. И наш герой Роман Гари. Есть и другие.

Впоследствии Гари был награжден не только Крестом Освобождения, но и орденом Почетного легиона, Боевым крестом и множеством других боевых наград. А ранение в живот оказалось неопасным. Не были задеты жизненно важные центры.

...Тем временем пришел ответ от английского издателя, который прочитал книгу и был в восторге от нее. Книга была срочно переведена на английский язык и под названием «Лес гнева» вышла в Англии. А вскоре после этого она вышла на французском языке и во Франции и получила премию французской критики.

Книга стала литературной сенсацией. Гари писал: «Я почувствовал, что родился».

Когда он возвращался с боевых полетов, то у трапа самолета его ждала толпа корреспондентов. Его снимали, брали интервью, он чувствовал себя героем, и это очень льстило его самолюбию.

А тут подоспело очередное письмо:

«Дорогой сын! Вот уже долгие годы, как мы в разлуке, и надеюсь, что теперь ты привык не видеть меня, так как и я не вечна.

Помни, что я всегда в тебя верила. Надеюсь, что когда ты вернешься, ты всё поймешь и простишь меня. Я не могла поступить иначе...»

Гари не понимал, какой номер она еще отколола? Он чувствовал тонкую иронию, ему виделось ее виноватое лицо, какое бывало у нее тогда, когда она понимала, что переборщила... Письмо кончалось так:

«Всё, что я сделала, я сделала потому, что была тебе нужна. Не сердись. Я хорошо себя чувствую. Жду тебя...»

Он напрасно ломал себе голову...

И вот наступило время свидания с матерью. Он мчался по берегу Средиземного моря в открытом джипе. Он был в офицерском мундире с нашивками капитана. На кителе красовались ордена и медали — он надел все. В рюкзаке лежала книга «Европейское воспитание» на двух языках, английском и французском, вырезки из прессы, премия французской критики. Он послал несколько телеграмм, предупреждая ее о своем приезде. Ехал и радовался тому, что сейчас увидит ее. Он не видел мать целых четыре года. Когда Роман подъехал к отелю «Мермон», его никто не встречал. Он ждал, что мать будет стоять в дверях отеля с победным флагом, но никого не было. И вообще понадобилось много времени, чтобы понять — а где же она? Что случилось? Ницца изменилась, друзья разъехались. Он стал искать знакомых. И узнал страшную правду: три с половиной года назад, через несколько месяцев после его отъезда в Англию, мать умерла.

Но он же всю войну получал от нее письма!.. Он не мог понять, в чем дело... Просто какая-то мистика...

Оказывается, эта удивительная женщина, зная, что умирает, написала ему в больнице около 250 писем и попросила приятельницу, жившую в Швейцарии, регулярно отправлять их сыну. Вот откуда были эти послания все годы войны! Вот почему на ее

Война окончена. Капитану Роману Гари 31 год

весточках не было дат! Она своими письмами продолжала вселять в него бодрость, силу. Это был ее последний подвиг. И, может быть, именно благодаря ее письмам, несущим в себе любовь, Роман выжил в этой страшной войне...

В память о матери у него остались лишь эти письма и одна-единственная крошечная фотография с удостоверения личности.

Военный летчик, которому исполнился тридцать один год, стоял около отеля. Странное одиночество навалилось на него. Теперь он стал человеком без роду, без племени. У него не было никого. Он остался один-одинешенек на всем белом свете...[1]

Я поздно вас открыл, Роман Гари.
Вы прожили не жизнь, а целых три.
В одной из них вы были сыном шляпницы,
Носившей дома стоптанные шлепанцы,
Но выходившей с вами на руках
На тоненьких французских каблучках.
Вы были во второй солдатом Франции,
Хотя без жезла маршальского в ранце,
С мозжухинскою страстью в каждой битве,
Шагаловский летающий еврей,
Не просто рядовым вы в небе были,
А маршалом для матери своей.
А третья жизнь, она была внутри.
И вы писали с летчицким бесстрашьем,
Как будто снова сросся в сердце вашем
Разбитый самолет Экзюпери.
За то, что вы худущий и ушастый,
Дразнили вас, но с вечной высоты
Вниз, на могилу шляпницы варшавской,
Кружась, летят сыновние цветы.

Евгений Евтушенко

Поскольку мы расстаемся на этих страницах с матерью Романа, последние слова будут о ней.

Экзальтированная фантазерка, наделенная неизъяснимой наивностью и своеобразным кодексом чести, патриотка, сочинительница, мистификаторша, выдумщица, смешная очаровательная интри-

[1] В некоторых французских источниках история с письмами матери упоминается, а в некоторых об этом не сказано ни слова. Так было это или не было? Даже если не было, если это легенда, то не о всякой матери такой шикарный вымысел сочинят! Я лично верю, что эта женщина перед смертью могла совершить свой последний материнский подвиг.

ганка, актриса, она была цельной и чистой натурой. Ибо вся ее одержимость служила одной цели — святой благородной материнской любви. Если бы во Вселенной проводился конкурс среди матерей, Нина Борисовская, думаю, заняла бы там первое место. Место Великой Матери...

Итак, военная глава жизни Романа Гари кончилась. Кончилась навсегда. Началась новая глава — дипломатическая. Он работает теперь в министерстве иностранных дел. Это кажется мистикой, если мы вспомним материнские пророчества: «Мой сын будет французским посланником!!!»

А дело-то объяснялось просто. Освобожденной Франции требовались новые политики, дипломаты, свободные от коллаборационистского прошлого, от вишистских настроений, не замаранные сотрудничеством с оккупантами. Многих фронтовиков приглашали работать в здание на Кэ д'Орсе, где помещалось Министерство иностранных дел. Среди них был и Гари — герой, фронтовик, писатель. Романа Гари назначают секретарем посольства в Болгарии. Он едет туда с молодой женой. Он недавно женился. Это английская писательница Лесли Бланш, женщина, конечно, молодая, но все-таки на семь лет старше его. Она редактор знаменитого журнала «Vogue», автор многих интересных книг. В частности, она пишет роман «Всадники рая» о вожде горцев Шамиле. Регулярно путешествует по Кавказу, собирая материал для своей книги. Первое время, когда молодых супругов представляли, то говорили так:

— Познакомьтесь, это Лесли Бланш и ее муж!

Но вскоре картина переменилась. Роман работал много и выпускал книгу за книгой. И каждый раз успех сопутствовал ему. Бланш оказалась хорошей женой, и то, что она старше, было гармонично для

Первой женой Романа стала английская писательница Лесли Бланш

их семейной жизни, ибо Роман привык к материнской опеке. Молодая чета приехала в Софию тогда, когда во всех странах народной демократии — в Венгрии, Чехословакии, Польше и, конечно, в Болгарии — коммунистические вожди начали избавляться от соперников. Процессы следовали один за другим. Молодые, популярные, свободолюбивые лидеры попадали под жернова сталинского режима. В Болгарии Роман и Бланш подружились с Петковым, видным политическим деятелем, лидером демократического крыла коммунистической партии. Потом Роман Гари видел, как его казнили, и на всю жизнь запомнил лицо мертвого казненного друга. С тех пор он возненавидел тоталитарный режим... В Болгарии Гари написал роман «Тюльпан». Это фарс, который местами приближается к чаплинскому гротеску. Не стану пересказывать сюжет, ибо всего

Гари сочинил 30 книг. А я уже и так основательно поэксплуатировал его дивную книгу «Обещание на рассвете». Вам, дорогой читатель, придется поверить на слово, что «Тюльпан» — интересное, яркое, очень смешное сочинение.

Через некоторое время Романа отзывают в Париж. Они с женой возвращаются в столицу Франции, где Гари начинает работу в департаменте Европы над проектом «Единая Европа».

Каждый раз, приступая к очередной дипломатической работе, он полон энтузиазма, энергии, но это быстро уходит. Он сталкивается, как правило, с рутиной, штампами, казенщиной. А его свободолюбивая душа всего этого совершенно не выносит...

Днем, в обеденный перерыв, он прибегает в гостиницу рядом со зданием министерства иностранных дел, где снимает крошечный номер, чтобы писать свой следующий роман. Он становится «сумасшедшим» писателем. Любую секунду использует для того, чтобы сочинять, сочинять и сочинять. Спустя некоторое время его переводят в Берн, он уже советник посольства. Поначалу Гари рьяно принимается за дело, но Берн, даже после Софии, а уж тем более после Парижа, кажется ему мертвым, тоскливым городом. Пытаясь разбудить сонную скуку, он устроил эскападу, неожиданную для дипломата: однажды в зоопарке прыгнул в ров к медведям. И находился там до тех пор, пока не приехала пожарная машина. Когда его вынимали, он сказал: «Ни один медведь даже не шелохнулся, не двинулся в мою сторону. А чего от них ждать? Это же швейцарские медведи. Они такие же скучные, как все в этом городе...»

В 1952—54 годах Роман Гари — пресс-атташе при представительстве Франции в Организации Объ-

Пресс-атташе при представительстве Франции в ООН. Красив, умен, модный писатель. Завистники называли его «секс-атташе»

единенных Наций в Нью-Йорке. Он молод, блестящ, легок, остроумен, у него уже вышло несколько книг. Его задача — разъяснить миллионам американцев французский политический курс. Но Франция в то время вела очень непопулярную политику — она воевала во Вьетнаме, не давала свободу и независимость своим колониям: Алжиру, Тунису, Чаду. А Гари — человек прогрессивный, и такая внешняя политика совершенно не соответствует его личным убеждениям. Однако он обязан проводить официальную линию своего правительства. Совсем как наши дипломаты в советские времена: по ночам читали Солженицына, а утром приходили на службу в ООН и говорили все наоборот.

Роман Гари, конечно, был невероятно одарен. Блестящая внешность, талант к разговору, спору, дискуссии, умение держаться перед теле- и кинокамерами — всё это создавало ему определенную популярность в журналистских и дипломатических кругах. К тому же злые языки называли его не пресс-атташе, а секс-атташе.

Действительно, он пользовался сногсшибательным успехом у прекрасного пола. В это время он пишет сатирический, злой роман «Человек с голубкой». Организация Объединенных Наций, на которую он возлагал большие надежды, очень разочаровала Гари. И эта книга, по сути, разоблачала ее деятельность. В романе выведены и генеральный секретарь, и его помощник, и министры иностранных дел, и послы, и чиновники, и разные службы. Фамилии и имена были очень прозрачны, сходство с оригиналами угадывалось. Интриги, ложь, фальшь политиков, двуличность — всё это выставлялось выпукло и беспощадно. Гари совершил очень смелый поступок. Ясно было, что книга написана как бы «изнутри», а ведь среди дипломатов не так много способных литераторов.

Поставить свою подлинную фамилию на книге, разумеется, было равносильно самоубийству. Новый роман Гари выходит под псевдонимом Фоско Синебальди. И дальше всю жизнь Роман Гари открещивался от этого сочинения. Лишь в 1984 году, после его смерти, книга была напечатана под настоящим именем автора. В Нью-Йорке он пишет еще один роман, «Краски дня». Это книга о Голливуде, в котором Гари еще ни разу не был. В ней описана любовь уже немолодого, стареющего француза к молоденькой американской старлетке. Этим романом Роман Гари, извините за каламбур, предвосхитил события своего будущего любовного романа, многое предугадал. Несколько лет спустя он получит новое дипломатическое назначение, станет генеральным консулом в Лос-Анджелесе. Как тут не вспомнить предсказания вещуньи Нины Борисовской?! Там он встретит молодую американскую актрису Джин Сиберг, и эта встреча сыграет роковую роль в его судьбе. В их с Сиберг жизни случится многое из того, о чем рассказывалось в «Красках дня». Что это было? Действительно предчувствие, предвосхищение собственного будущего? Или же он поступал именно так потому, что претворял в жизнь написанное ранее? Кто знает... Вообще в жизни Гари было немало такого, что словно предсказывало его дальнейшую судьбу.

После двух лет пребывания в Организации Объединенных Наций Романа Гари переводят генеральным консулом в Боливию, в Ла-Пас. Дипломатическая работа, естественно, сочетается с литературой. Рождается замысел романа «Пожиратели звезд», своеобразная версия вечного сюжета о Фаусте и дьяволе, о продаже души сатане. Действие происходит в Латинской Америке, а Мефистофель служит в цирке, показывая фокусы, сродни эскападам Воланда и трюкам Дэвида Копперфильда.

В Боливии генеральный консул Франции получает телеграмму о том, что Гонкуровский комитет присудил свою премию — самую престижную литературную премию Франции — его книге «Корни неба», пятому по счету роману. Это настоящее признание! Автор счастлив! Он купается в славе. Его осаждают корреспонденты, он дает интервью налево и направо, газеты пестрят восторженными рецензиями, публика запоем читает роман. Всё прекрасно, всё замечательно. И, как обычно бывает с большими произведениями, тут же принято решение экранизировать книгу. За экранизацию берется знаменитый американский режиссер Джон Хьюстон. Приглашаются Эррол Флинн, Жюльетт Греко, Орсон Уэллс, замечательные актеры и исполнители. Но фильм получился далеко не на уровне книги.

Так о чем же этот роман? Почему он вызвал такой бум, такой интерес? «Корни неба», по сути дела, как бы первый «экологический» роман. Тогда, в 1956 году, многие люди даже не знали такого слова — экология. Голос в защиту природы, в защиту животных прозвучал ярко и свежо. Сюжет романа довольно сложен, книга строится как детектив. А суть в том, что некий Морель, француз, который волею судьбы оказался в Центральной Африке, в Чаде, бывший узник гитлеровских концлагерей, объявляет войну истребителям слонов. Он борется не просто на словах. Сначала он ходит с петицией о запрете охоты, просит ее подписать, но над ним смеются. Ведь слоновая кость — богатый промысел, это доходы. Люди ненавидят его, ибо герой книги живет среди охотников на слонов, именно они — его окружение. И тогда Морель объявляет войну, подобно Робину Гуду. Он начинает стрелять в людей, которые истребляют замечательных, добродушных, благородных великанов с хоботами. Он поджигает их лавки, нападает на плантации. К нему присоединяются немка Нина, судьба которой искалечена войной, и некие чудаки-натуралисты. Негритянское население старается использовать этот конфликт для того, чтобы разжигать ненависть к белым, чтобы поднять восстание против французских колонизаторов. Естественно, общество дает ответный бой этому Дон-Кихоту, этому рыцарю, который борется за сохранение животного мира. Его окружают полицейские и охотники. Его преследуют «черные убийцы» — они не хотят, чтобы Морель попался живым в руки правосудия. Книга строится так, что до последней страницы читатель не знает, чем всё это закончится. И я не стану вам рассказывать, просто советую прочитать эту замечательную книгу...

Кстати сказать, Гари очень недолюбливал Хемингуэя за его рассказы об Африке, где тот прославляет охоту, сафари. Роман считал, что истребление животных — это будничный фашизм...

Вскоре, на пике своей популярности, Роман Гари получает новое назначение — генеральным консулом в Соединенные Штаты Америки. Итак, как мы уже говорили, он попадает в Лос-Анджелес, кинематографическую столицу Америки. Вот здесь он в своей стихии. Он модный писатель, соперничает с Генри Миллером и Норманом Мейлером. Его роман «Корни неба» входит в список бестселлеров года. Прожектора, киноактрисы, кинозвезды — он чувствует себя пупом Земли. Мужчины-завистники называют его «сексуальным консулом». Американский режиссер Уэнджер предлагает ему сыграть в фильме «Клеопатра» роль Цезаря. И только дипломатический статус не позволяет Роману принять это предложение. Но несмотря на весь светский вихрь, он продолжает очень много и упорно писать, в частности, заканчивает роман «Пожиратели звезд».

Может быть, в силу наследственности (мать актриса, отец — или отцы? — той же профессии) жизнь представляется Гари спектаклем. Особенно это ощущение обострилось в Голливуде, любимцем которого очаровательный француз стал очень быстро. Вот что пишет О. Кусова в предисловии к книге «Корни неба»: «...спектаклем можно сделать всё. И жизнь. Гари и поставил блистательный спектакль своей жизни, но режиссером этого спектакля изначально был не он. Он сыграл его, а поставила Нина Борисовская, его мать...»

Прежде чем перейти к его роковому знакомству с Джин Сиберг, хочу сказать о том, что Гари любит все время осваивать нечто новое. Одно дело — хорошо говорить по-английски, совсем другое — отважиться писать на нем прозу. Мы помним удачный опыт подобного рода у Владимира Набокова, который из русского писателя стал английским. Роман «Пожиратели звезд» был написан в 1960 году на английском языке. На французском (кстати, тоже не родном для сочинителя) книга вышла лишь шесть лет спустя. Разумеется, в переводе самого автора. На английском языке было написано еще несколько книг, в том числе — «Леди Л.» и «Белая собака». В Лос-Анджелесе Гари подобрал и приютил бродячую собаку, которую окрестил русским именем «Батька». И вдруг он заметил, что этот пес бросается только на негров. Когда в дом заходили негритянские служители, электрики, разносчики или же просто черные гости, то пес сразу на них бросался. Гари понял, что это так называемая «белая собака», то есть пес, обученный бросаться на черных. И тогда Роман отдал Батьку заклинателю змей, негру. То, что далее произошло в жизни, и стало основой его романа, который так и называется «Белая собака». Новый хозяин, заклинатель змей, ненавидящий белых, переучил собаку так, что теперь она стала бросаться только на них.

Автор хотел сказать, что можно научить нена-

Джин Сиберг в роли Жанны д'Арк. 1957 г.

висти к любой расе, к любой национальности. Национализм или расизм в любой форме — отвратительны и приводят, в конечном счете, к войнам. Кстати, в Америке у Гари часто спрашивали, учитывая его весьма экзотическую цыганско-восточную внешность: кто он по национальности?.. Он отвечал: «У меня нет ни капли французской крови, но в моих жилах течет кровь Франции...»

И вот здесь, в Голливуде, в 1960 году, 20 сентября происходит его встреча с Джин Сиберг.

Отвлечемся на некоторое время от нашего героя, ибо Джин Сиберг стоит того, чтобы рассказать о ней поподробнее.

Ее жизнь начиналась как голливудская сказка. А окончилась такими ситуациями и событиями, пред которыми бледнеет любой триллер, любой фильм ужасов. Завертелось с того, что Отто Преминджер, режиссер немецкого происхождения, начинал снимать в Америке фильм «Жанна д'Арк». По всей стране был объявлен конкурс — искали героиню. Съемочная группа обратилась к девушкам с призывом присылать свои фотографии. Джин жила в маленьком городке Маршалтаун на западе Соединенных Штатов, в простой семье. Отец был аптекарем, а мать слишком злоупотребляла алкоголем. Это потом скажется и на дочери. Родители даже не помышляли ни о какой ее карьере в кинематографе, вообще были очень далеки от искусства. Однако учительница, очарованная своей ученицей, послала ее фотографию в Голливуд на конкурс. И произошло американское чудо. Сперва было 3000 претенденток. Потом осталось 300. А потом одна — Джин. Она и стала сниматься в роли Жанны д'Арк. Простая девушка попала в кинозвезды. Разумеется, завязался роман с режиссером. Надо сказать, что целомудрие было не самым главным достоинством Джин и не самой главной чертой характера. Фильм, к сожалению, получился не очень удачным, но, тем не менее, Джин Сиберг появилась на международной киноорбите. Она приезжает во Францию и там попадает на Каннский фестиваль, где знакомится с никому еще не известными Роже Вадимом и Брижит Бардо — золотая богемная компания. Но Джин была барышней неуравновешенной, и там, в Каннах, в 19 лет случается ее первая попытка самоубийства. Девушку спас ее спутник, замечательный негритянский актер Сидней Пуатье, который вместе с ней приехал во Францию.

В Каннах ее замечает режиссер Жан-Люк Годар.

В то время он как раз приступал к съемкам своего ставшего потом сенсационным фильма «Не переводя дыхания». Там впервые снялся Жан-Поль Бельмондо. Годар приглашает на роль его партнерши Джин Сиберг. Когда я делал программу о Бельмондо, я попросил его вспомнить и рассказать о своей партнерше по этой работе.

— Когда мы снимались с Джин Сиберг, — рассказывает Ж.-П. Бельмондо — она была очень удивлена манерой съемки Годара. Это было совсем не похоже на голливудский стиль. А Джин только приехала из Голливуда, где снималась у Отто Преминджера в роли Жанны д'Арк. Джин была очень милой женщиной, очень мягкой. Я успокаивал, объяснял, что всё не страшно, что это нормально, ведь мы все иногда делаем нечто новое. Она тревожилась, ибо не понимала, чего от нее хотят на съемках. Но Джин всегда была в хорошем настроении, симпатична и очень общительна. А потом, несколько лет спустя, я встретился и с Романом Гари. Мы снимали в Бейруте и в Афинах. Джин в то время была очень дружна с моей женой. Наши дети часто встречались. И мои воспоминания о Джин Сиберг — это воспоминания о женщине, полной юмора, очень нежной и, конечно же, великолепной актрисе. Наверное, ей недодали ролей в кинематографе, тех хороших ролей, которые она заслужила. Ведь в нашей ленте «Не переводя дыхания» она играла великолепно...

После фильма Годара Джин попадает к режиссеру Негулеску в фильм «Прощай, грусть» и выходит замуж за адвоката Морея. Но ни счастья, ни детей не было, и вскоре следует развод...

Однако главное для нас — встреча Романа и Джин. В момент знакомства Джин Сиберг 21 год, а ему 45. В Джин Романа привлекали, с одной стороны, внешность невинной девочки, а с другой — многоопытность и умелость бывалой женщины. Начинается роман, вспыхивает бешеная страсть. Лесли Бланш должна уступить, уйти, она обречена. Бланш сыграла огромную роль в жизни Романа Гари, в его становлении как писателя, она замечательно вела дом. И отношения у них сложились прекрасные. Но все-таки она была на семь лет старше, и этот брак нашему герою уже несколько... приелся. Ведь он всегда жаждал новизны. Во всем. В том числе и в женщинах. Три года длился страстный роман с Сиберг и одновременно, параллельно происходил развод с Лесли Бланш.

Характер у Лесли тоже был достаточно сильный и своеобразный. Гари написал роман «Леди Л.», где прообразом героини стала его бывшая жена. Эту книгу он как бы подарил Лесли на прощание. Героиня — капризная, взбалмошная женщина, жестокая, своенравная. Она наказывает своего возлюбленного за измену, причем делает это весьма причудливо. Л. Бондаренко пишет: «Леди Л. — это, безусловно, Лесли с ее капризами, сменами настроения, сценами, нежностями, злопамятностью, любовью к кошкам и русским иконам, ревностью тигрицы, с ее английским умом, парадоксальным и властным...» Кстати, и по этой книге тоже был создан фильм, где главную роль играла очаровательная, прелестная Софи Лорен. Вообще ансамбль был там собран изумительный: играли Пол Ньюмен, Дэвид Нимен, Филипп Нуаре, Мишель Пикколи, Катрин Аллегре и др. А постановку осуществил знаменитый актер, режиссер и писатель Питер Устинов. С Устиновым, кстати, я делал большую телепередачу, приезжал к нему в Швейцарию...

Надо заметить, что генералу де Голлю нравился

роман «Леди Л.». В письме к автору президент Франции писал следующее:

«Что касается меня, то плененный великолепным талантом, я вижу в нем (романе) чудо юмора и непринужденности. Какое счастье для вас, что на свете есть англичане...»

Пока происходил процесс развода с Лесли Бланш, стало ясно, что Джин Сиберг ждет ребенка. В авральном порядке в октябре 1963 года происходит обряд бракосочетания, и буквально месяца через два рождается сын. Его назвали Александр Диего.

Роман Гари в своей страсти к новому никак не может остановиться. Помимо профессий летчика, дипломата, писателя он осваивает еще одну специальность — становится кинорежиссером. И ставит фильм с Джин Сиберг по своей собственной новелле «Птицы прилетают умирать в Перу». Во время работы консулом в Боливии ему довелось побывать в Перу. Там его потряс пляж, усеянный десятками тысяч трупов птиц. Это и послужило поводом для написания новеллы. В 64-м году она была признана лучшим рассказом года. Причем образ героини, нимфоманки, был списан с его собственной жены. И, разумеется, эту роль играла сама Джин Сиберг. Кроме нее в ленте были заняты Пьер Брассер и Даниэль Дарье.

Нимфоманка, если заглянуть в энциклопедию, — это женщина, у которой болезненно усилено половое влечение. А если перевести это слово на простонародный русский язык, то у нас существует грубоватое, но точное определение: «слаба на передок». Фильм получился скандальным, он был запрещен, не шел во Франции, и мы в нашей телепрограмме даже не смогли показать ни одного фрагмента из этой ленты. Следующая картина, которую Роман

Красивая пара — знаменитая актриса и знаменитый писатель

Гари поставил как кинорежиссер, называлась «Убей». Фильм рассказывает о наркотиках, наркомафии и о борьбе с ней. Образ наркоманки, героини произведения, был и тут во многом списан сценаристом Романом Гари со своей жены. Думаю, он женился отнюдь не для того, чтобы все время иметь перед глазами прототип для подобных персонажей. Он любил Джин, но зоркое писательское око одновременно жестко фиксировало ее сущность. Конечно, Гари со своими любовными и кинематографическими эскападами не очень-то вписывался в рамки дипломатического чиновника. Неожиданно он получает письмо от заведующего отделом кадров министерства иностранных дел Франции. Автор письма был его приятелем. Поэтому послание было одновременно официальным и как бы не очень официальным.

«В высших сферах считают, что Вы слишком активно действуете как на литературном фронте, так и на любовном. Поскольку Вы и там, и там добиваетесь блестящих успехов, это очень вредит Вашему дипломатическому статусу». Короче говоря, это была отставка, и Гари, как дипломат, что называется, завис. Он без должности, ждет нового назначения. Но Кув дю Мюрвиль, французский министр иностранных дел сказал, что Гари никогда не станет послом. Только через его, министра, труп... Теперь давайте немножко отвлечемся от дипломатов и вернемся к Джин. В те времена среди прогрессивных деятелей Голливуда стало модно бороться за свободу нравов, за права негритянского населения США и еще за уйму всяких прав. И Джин Сиберг включается в эту борьбу вместе с Джейн Фонда и другими прогрессивными кинематографистами. «За мини-юбку! Против войны во Вьетнаме! За марихуану! Против напалма! Занимайтесь любовью, а не войной!» — таковы были некоторые лозунги этого движения.

Но Джин по характеру неуемна, она не ограничивается разумными, легальными формами. Отдается этим идеям со всей страстью, со всей неистовостью своей натуры. В итоге она становится членом организации «Черные пантеры», которая боролась с «белыми свиньями». Эта экстремистская, террористическая организация находилась под запретом правительства США. Вскоре у Джин начался роман с лидером организации, Хоакимом Джамилем. Но мало того, она еще все время подпитывала «пантер» деньгами. Расплачивалась и поддерживала фанатиков чеками Романа Гари.

За Джин началась слежка. Она была все время под колпаком у ФБР. Ее телефонные разговоры прослушивались. Когда она выезжала из Америки или возвращалась в США, ее всегда подвергали унизительному досмотру. В конце концов Гари и Сиберг возвращаются во Францию... Роман покидает дипломатическую службу и уходит «на вольные хлеба».

И в это самое время президент де Голль приглашает его на завтрак. Гари был стопроцентным голлистом. Он принадлежал к военному братству де Голля, преклонялся перед президентом, почитал его и, с присущим ему комплексом безотцовщины, считал генерала, по сути дела, своим отцом. Во время завтрака де Голль сделал ему очень лестное предложение: «Не хотите ли, Роман, стать моим дипломатическим советником?» И, как пишет сам Роман Гари, «я задумался, что было недопустимо. В подобных случаях не думают, а немедленно соглашаются». И тем не менее, несмотря на трепетное, благоговейное отношение к де Голлю, Роман Гари предложения не принял.

Когда его спросили: «Почему? Это же замечательная должность. По СУТИ дела, синекура. Никакой ответственности нет», он сказал: «Я берег свою сексуальную свободу. Если бы я принял это предложение, я должен был бы войти в команду де Голля и соблюдать все те официальные условности и правила, которые обязана соблюдать команда президента».

Покончив с карьерой дипломата, по долгу службы вечно находящегося за пределами Франции, Роман понимает, что пора обосноваться в Париже. Он покупает в центре города, на рю дю Бак, в доме 108 на втором этаже огромную квартиру из девяти комнат в 400 квадратных метров. Роман, Джин и их сын Александр Диего поселяются в прекрасно обставленных в стиле «à la Russe» апартаментах. Казалось бы, всё хорошо. Однако отношения дают трещину. Джин влюбляется в Андре Мальро и начинает преследовать его. Квартиру перегораживают «берлинской стеной».

Наконец супруги решают развестись, но тут выясняется, что Джин опять ждет ребенка. Гари не может развестись с беременной женщиной. Джин уезжает в Швейцарию — рожать. И тут случается ужасное. Американский еженедельник «Newsweek», выходящий тиражом 6 миллионов экземпляров и читаемый во всем мире, сообщает, что Джин Сиберг ждет ребенка от одного из лидеров «Черных пантер». Для Джин, да и для Гари, это был страшный удар. У Джин случились преждевременные роды. Ребенок прожил всего-навсего два дня и умер. Какого цвета он был, осталось неизвестным. Доктор, который принимал роды, сохранил эту тайну. Но какого бы цвета ни было дитя, Роман Гари повел себя как подлинный рыцарь. Он признал эту девочку своей, дал ей имя Нина, в честь своей матери. Однако Джин от этого удара — смерти девочки и мерзкой статьи в «Newsweek» — уже не оправилась никогда. У нее и без того была неуравновешенная психика, а после этой истории всё помчалось под гору безо всяких тормозов.

По тому, как повела себя Джин Сиберг после смерти девочки, у многих, в том числе и у Романа Гари, возникли подозрения, что отцом ребенка был какой-то индеец. Как раз перед этим Джин работала в Мексике, снималась в очередной ленте. А случилось вот что. Гробик с телом девочки был переправлен в Америку, в город Маршалтаун, родной город Джин. Несчастная мать созвала всех индейцев, живущих в округе. Люди величественной внешности, с раскраской, в перьях приходили и совершали какие-то индейские обряды над мертвым ребенком. Ее тело раскрашивали. А потом при большом стечении индейцев девочку захоронили в семейном склепе Сибергов. Вот и думайте, что хотите... После этой истории развод стал неминуем.

В тот год Роман Гари путешествовал, как сумасшедший. Он метался по миру в поисках успокоения. В его паспорте только за один год было поставлено 38 виз разных стран.

Тем не менее, он продолжал заботиться о Джин, купил ей небольшую квартиру в том самом доме, где жил сам. Она могла видеться с сыном. Но сына отныне воспитывал отец. Каждый год, в день смерти девочки, Джин совершала попытку самоубийства...

А Роман Гари работал. Он выпускал книгу за книгой. Однако интерес к его сочинениям со стороны критиков падал. И он это чувствовал. Начался иной, сумеречный период в его жизни. А Джин Сиберг пустилась во все тяжкие: наркотики, алкоголь, разноцветные мужчины, оргии. И все это происходило рядом, в том же доме. Но несмотря ни на что Гари помогал ей и морально, и материально. Джин Сиберг пока еще работает в кино. Вместе с Робером

Оссейном она снимается в фильме «Лилит», играет первую жену Адама, еще до Евы. В кинокартине «Свободный выхлоп» она опять встречается с Жаном-Полем Бельмондо. Один из ее последних фильмов — «Большое сумасшествие» (1975).

Тем временем Гари выпустил романы «Чародеи» и «Европа». Публика по-прежнему его читала, но критика от него отвернулась. Диктат моды, привилегию на вкус узурпировала узкая группа критиков. Гари называл их «парижистами». Они были снобами, считали себя элитой, в их руках находились влиятельные газеты и журналы. Гари не думал, что стал сочинять хуже, что исписался, как ядовито провозглашали «парижисты». Конечно, его угнетал этот бойкот, но Роман был сильным человеком, он не сдался и решил начать литературную жизнь с нуля. Наверное, поначалу он не собирался затевать грандиозную литературную мистификацию, эта идея пришла позже. Он пишет книгу «Голубчик» и в 1974 году выпускает ее под псевдонимом Эмиль Ажар. Причем решение выпустить ее под чужим именем пришло к нему в последнюю минуту. Гари свято хранит тайну. Никто не знает, что за Ажаром скрывается один из самых известных писателей Франции.

У книги огромный успех. Читатели увлечены сюжетом, критики, и в том числе влиятельные «парижисты», хвалят мастерский стиль нового писателя, буквально захлебываются от восторга: «На небосклоне французской литературы зажглась новая звезда!» В прессе много домыслов: кто же такой этот самый замечательный и талантливый Ажар? Книга выдвигается на крупную литературную премию — премию Ренодо. Но автор телеграммой отказался от награды. Тем самым таинственность, окружающая нового сочинителя, усилилась. Высказывались разные

Когда Романа «достали» литературные критики, он задумал грандиозную мистификацию

предположения. Одно было ясно — за этим стоит какой-то очень опытный мастер. Приписывали авторство Арагону или Рэймону Кено. Возникла версия, что это ливанский террорист, который не может въехать во Францию. Называли даже имя — Хамиль Раджа. Ходила еще и такая легенда, что книгу написал доктор, который сделал подпольный аборт, и теперь ему запрещен въезд в страну. Всех сбивало с толку, что рукопись романа была прислана из Бразилии. Неизвестный человек переслал ее в издательство «Галлимар». Поначалу в издательстве рукопись восторга не встретила. Но настойчивость внутренних рецензентов преодолела сопротивление. И когда книга наконец вышла, начался обвал. Вот что пишет о случившемся в эссе «Жизнь и смерть Эмиля Ажара» сам Роман Гари: «Легко вообразить мое ликование. Самое сладостное за всю мою писательскую жизнь. На моих глазах происходило то, что в литературе обычно происходит посмертно, когда писателя уже нет. Он никому не мешает, и ему можно наконец воздать должное».

Некоторые внимательные читатели, в отличие от критиков помнившие ранние книги Романа Гари, сразу догадались, кто скрывается за Эмилем Ажаром. Но их не слушали. «Гари на такое не способен», — говорили им профессионалы от литературы. Когда Романа попыталась разоблачить прозорливая молодая журналистка, Гари отбивался от ее «подозрений» как мог. Когда ему указывали на абсолютную идентичность реплик или ситуаций у Ажара с репликами и ситуациями в прежних книгах Гари, он делал самодовольную мину. «Я рад, что оказал такое влияние на молодого автора, — приговаривал он при этом. — Я не в претензии, что он кое-что позаимствовал у меня».

Через адвоката был заключен с автором-невидимкой контракт на пять новых книг. И на следующий год неуемный Эмиль Ажар выпускает новый роман «Вся жизнь впереди». Сенсация становится международной.

Действие книги происходит в квартале Бельвиль, в Париже. Старая проститутка, вышедшая с панели в тираж, мадам Роза, польская еврейка, прошедшая гитлеровский концлагерь, занимается тем, что дает приют детям шлюх, когда те уезжают на промысел в другие города. Такой своеобразный детский сад, где содержатся «дети разных народов», полный интернационал. Среди ее воспитанников десятилетний араб Мохамед, которого все зовут Мо-Мо. Отношения старой еврейки и арабского мальчика и становятся сюжетом этого замечательного произведения. В то время, как арабы и евреи враждуют, воюют, убивают друг друга, герои Гари, вернее, Ажара, друг другу преданы. Если и существуют какие-то нестыковки в их отношениях, так это только возрастные различия. Национальность же у обоих одна — они люди. Книжка написана от первого лица — от лица маленького араба. Это придает повествованию очарование, свежесть, юмор, наивность. Очень советую прочитать этот шедевр. Разумеется, тут же был сделан фильм. Поставил его режиссер Мизрахи, а главную роль сыграла великолепная Симона Синьоре. За исполнение этой роли она была удостоена национальной кинематографической премии «Сезар» за 1977 год.

Восторг, фурор, триумф были еще большими, чем после «Голубчика»... Замечательную, пикантную подробность о вере в подлинность Эмиля Ажара приводит сам Гари: «Я говорил с одной женщиной, у которой была любовная связь с Ажаром. По ее словам, он великолепен в постели... Я рад, что не разочаровал ее...» Естественно, что такой блестящий роман был представлен к Гонкуровской премии и единогласно получил ее. Таким образом, Роман Гари оказался единственным литератором в истории Франции, который стал дважды лауреатом Гонкуровской премии. Единственным потому, что статус Гонкуровского приза запрещает награждать дважды одного и того же писателя. Но о подлинном авторе никто не знал, ибо Гари свято хранил тайну. Он ее так и не открыл при жизни. Он написал эссе «Жизнь и смерть Эмиля Ажара», где рассказал всю эту неслыханную историю, и завещал опубликовать свое эссе только через год после смерти[1]. Кое-что из его высказываний хочется привести...

«...Я снова затосковал по молодости, по первой книге, по новому началу. Начать всё заново, еще раз всё пережить, стать другим — это всегда было величайшим искушением моей жизни...»

Он недоволен теми штампами, которые читал на обороте обложек своих книг: «несколько насыщенных жизней в одной... летчик, дипломат, писатель...»

Эти штампы, журналистские клише его раздражали. (Кстати, думаю, что эта моя повесть о его жизни тоже, наверное, раздосадовала бы его.) «На каждую из моих официальных, если можно так выразиться, репертуарных жизней приходилось по две, по три, а то и больше тайных, никому неведомых...» И ни в одной из этих жизней Гари так и не смог найти полного удовлетворения. Он пишет, что ему всегда было свойственно стремление к многоликости.

Но вот вышли в свет две книги Ажара, и случилось то, что случилось. «Это было для меня новым

---

[1] Неуемный фантазер осуществил свою самую шикарную мистификацию.

Джин Сиберг принесла Роману не только счастье, но и причинила много горя...

рождением. Я начинал сначала. Всё было подарено мне еще раз. У меня была полная иллюзия, что я сам творю себя заново...» После того, как книга получила Гонкуровскую премию, Гари понял, что надо все-таки как-то легализовать Эмиля Ажара, предъявить публике какое-то существо во плоти. Но так, чтобы это существо возникло на какое-то мгновение, промелькнуло и исчезло. На эту роль Гари выбрал своего двоюродного племянника по имени Поль, а по фамилии Павлович. Этот человек был ему обязан многим — по сути дела, Гари содержал и его самого, и его семью. На деньги Гари Поль ездил на несколько лет учиться в Гарвард, но после этого престижного университета работал почему-то водопроводчиком, монтером, слесарем, маляром. Учение явно не пошло ему впрок. Гари снимал и оплачивал его квартиру. Как режиссер ставит задачу актеру — что и как играть, так и Гари объяснил племяннику, что тот должен делать. История с фальшивым, но как бы реальным Ажаром потребовалась Роману, чтобы отвести от себя подозрения, будто именно он — автор ажаровских сочинений. Павлович согласился на предложение дядюшки: появиться перед прессой, рассказать вымышленную биографию Эмиля Ажара и раствориться навсегда. Но поступил иначе...

...Я встречался с Павловичем в Париже, он специально по нашему приглашению приехал из Тулузы. У этого взвинченного, неврастеничного субъекта была одна задача — содрать с нас приличную сумму. Он долго не понимал, что напоролся на людей еще более нищих, нежели сам. Вся наша торговля — сначала он запросил 4000 долларов в час — снималась на пленку и была показана в телепрограмме. В стремительном психопатическом монологе, где перечислялись родственники, дедушки, тети, ба-

Поль Павлович, племянник Романа Гари, быстро вошел в роль мифического Эмиля Ажара

бушки, братья, сестры, а в промежутках заявлялось, что он в деньгах не нуждается и обожает своего дядю Романа Гари, промелькнула только одна фраза, достойная упоминания. Что его дядя Роман Гари — крупный бандит, а он — Павлович — бандит поменьше. Далее он без подготовки съехал с четырех тысяч в час на две, а когда понял, что и этого он у нас не выцыганит, попрощался и убежал. Мы бежали за ним, пытаясь уговорить его, но тщетно. Павлович навсегда исчез из нашей жизни. Это был единственный человек, знавший Гари, который мог нам что-то поведать. Ни сын писателя Александр Диего, ни последняя возлюбленная Романа не откликнулись на наши слезные просьбы, не ответили, не появились.

Вот почему о том, что учинил очаровательный племянник с режиссерским замыслом дяди, вы узнаете, дорогой читатель, от меня, а, я в свою очередь, узнал это из эссе Романа Гари.

В Копенгагене, где Павлович давал прессе интервью, он обнародовал не вымышленную биографию, а свою подлинную, да еще позировал фотокорреспондентам и разрешил, несмотря на запрет Гари, публикацию фотографий. Гари писал:

«С этой минуты мифический персонаж, которого я так старательно создавал, прекратил свое существование, и его место занял Поль Павлович». Пресса быстро выяснила, что Павлович является племянником писателя, и опять возникли подозрения, что автор ажаровских произведений Роман Гари. И Роман писал:

«Я защищался как дьявол, публиковал опровержение за опровержением, используя в полной мере свое право на анонимность. И в конце концов сумел убедить пишущую братию, причем даже без особого труда, поскольку я давно уже всем надоел, и им хотелось чего-нибудь новенького».

Павлович быстро вошел в роль Ажара. Ему, очевидно, льстило всеобщее восхищение «его» романами. Постепенно этот маляр и водопроводчик начал верить, что, может, действительно именно он сочинил книжки. Он настолько влез в шкуру писателя, что даже потребовал у Гари черновики, оригиналы текста, для того, чтобы показать, что он и есть подлинный Эмиль Ажар. С выбором исполнителя Роман, конечно, допустил ошибку. Он не учел психической неустойчивости своего племянника, его желания выбраться наверх. Думаю, что и к дяде «Ажар» относился двойственно, эдакая любовь-ненависть. Павлович, скорее всего, не смог избежать искушения, видимо, надеясь, что дядюшка будет подбрасывать роман за романом, а он будет пожинать эти сладкие плоды. Розыгрыш в какой-то степени загнал в тупик самого автора мистификации. Думаю, роковой выстрел, который прозвучал 3 декабря 1980 года на рю дю Бак, был в какой-то степени спровоцирован и этой нелепой ситуацией. До самоубийства Гари опубликовал еще два романа, приписав их Эмилю Ажару, — «Псевдо» и «Страхи царя Соломона». Публика приняла их милостиво, но уже не так, как первые две книги... Новизна быстро приедается... Однако надо закончить рассказ и о бывшей жене писателя.

Последние годы Джин Сиберг были поистине ужасны. Она растолстела, весила 100 килограммов. Ее перестали снимать в кино. Она не виделась со своим сыном, потому что Гари запретил ей свидания. В эти годы ее сердце и тело были отданы арабскому освободительному движению. Теперь ее спутники, друзья, любовники — это борцы за свободу арабского мира. И среди них был очень известный и знаменитый человек. Его звали Бутифлика, он являлся министром иностранных дел Алжира, человеком, который претендовал на пост президента. Джин Сиберг, которая в эти годы была довольно частым клиентом психиатрических клиник, говорила, что скоро она станет первой леди Алжира, но Бутифлике связь с Джин надоела, и он запретил ей въезд в Алжир.

И вот 29 августа 1979 года Джин Сиберг вместе со своим последним сожителем, который был на 12 лет моложе ее, Ахмедом Осни, отправились в кино. По иронии судьбы, это был фильм «Светлая женщина», поставленный по книге Романа Гари знаменитым режиссером Коста-Гаврасом, где главные роли играли Роми Шнайдер и Ив Монтан. А в ночь с 29 на 30 августа Джин исчезла. Она ушла из дома, взяв с собой только бутылку минеральной воды и упаковку лекарств, которые ей следовало принимать в течение следующих двух месяцев. Ушла голая, завернувшись в плед, и еще она прихватила полотенце и ключи от машины.

На следующий день Ахмед Осни заявил в полицию. Джин искали, но найти нигде не могли. Было известно, что она не взяла очки, а без очков не могла водить машину. Что случилось, никто не знал.

Лишь десять дней спустя, 8 сентября 1979 года, на улице генерала Апера тело Джин нашли в ее маленькой машине. Один француз, который никак не мог растолкать тесно сгрудившиеся автомобили, обнаружил тело женщины, которое лежало внутри между передним и задним сиденьями. Он позвонил в полицию. Это и была Джин Сиберг. В ее крови оказалось 8 процентов алкоголя, что неслыханно много, потому что достаточно 4 процента для того, чтобы у человека наступила кома. Всё было очень таинственно. Убийство это или самоубийство? Никто так и не узнал. Роман Гари созвал пресс-конференцию, на которой в гибели Сиберг обвинил ЦРУ. Он заявил, что это наверняка убийство, дело спецслужб США. Вот так закончилась жизнь талантливой красивой женщины. Ей был 41 год. Джин Сиберг похоронили на Монпарнасском кладбище. А через несколько месяцев ее могила была разгромлена, снесен крест. Кем? Почему? За что? Никто не знает...

Жизнь Романа Гари окрашивается во все более мрачные тона. Он был раздосадован поведением кретина-племянника. Мечта о таинственном полумифическом Ажаре лопнула, приобрела черты грубой реальности. За Ажара выступал теперь полуобразованный, необаятельный, самовлюбленный неврастеник, собиравший лавры, которые ему не принадлежали. Рухнула элегантная мистификация. Думаю, Гари невольно и ревновал к Павловичу, к тому, что ничтожество является визитной карточкой его сочинений. Образовались запутанные финансовые дела, связанные с гонорарами, полагающимися Ажару, с уплатой налогов с этих гонораров. Роман Гари сам попал в ловушку, которую уготовил обществу. Кроме того, наваливались усталость от жизни, разочарование, раздражение. И рушилась еще одна грань его существования, которой Роман придавал огромное значение, — его отношения с женским полом.

В молодые годы Сергей Эйзенштейн рассказал мне не то притчу, не то байку, что каждому мужчине выделено природой на всю его жизнь два ведра спермы. Можно по-разному распорядиться этим богатством: или истратить всё в молодые годы, или расходовать так, чтобы хватило до зрелости, или же экономить, чтобы что-то осталось и на последние, старческие годы. Роман Гари, конечно же, не принадлежал к последнему сорту людей. У него начались чисто мужские физиологические проблемы с дамами. Для его самолюбивого характера — ведь он привык быть победителем во всем — это оказалось невыносимо. Так что, причин для добровольного ухода из жизни скопилось немало.

2 декабря 1980 года в доме №108 на рю дю Бак на втором этаже раздался роковой выстрел. Роман Гари свел счеты с жизнью. Его самоубийство случилось через год с небольшим после смерти Джин Сиберг. В своей предсмертной записке он написал:

«Никакого отношения к Джин Сиберг. Поклонников разбитых сердец просим обращаться по другому адресу».

Он и здесь остался ироничным. Вот что написал

автор энциклопедического труда «Писатель и самоубийство» Григорий Чхартишвили, более известный читателям как Б. Акунин, автор увлекательных детективных романов о сыщике Фандорине.

«Гари проявил характерную для него деликатность. Чтобы никого не шокировать неприятным зрелищем, он дождался, когда останется в квартире один, лег на кровать, надел красную купальную шапочку и выстрелил себе в рот из револьвера умеренного 38 калибра.

Баловню судьбы повезло и тут: пуля попала ровно туда, куда нужно — не было ни предсмертных страданий, ни разбрызганных мозгов. Из свидетельства судмедэксперта, описывавшего труп:

«Черты умиротворенные, голубые глаза широко раскрыты, выражение лица спокойное».

...И все-таки это было не совсем обычное самоубийство. Одновременно свершилось и убийство другого существа. Одним, тем же самым выстрелом Гари отправил на тот свет еще одного писателя — Эмиля Ажара. Но, правда, об этом никто до поры до времени не знал.

Похороны Романа Гари состоялись в военной церкви Дома Инвалидов, где провожают в последний путь героев Франции, видных военачальников, генералов, маршалов. Здесь же, в другой части собора, находится гробница Наполеона. Похороны Романа Гари прошли не совсем обычно. Но и жизнь этого человека не вписывалась в ординарные рамки. На похороны собралось воинское братство. Все сподвижники генерала де Голля как один пришли отдать последний долг своему боевому товарищу. Приехал председатель Национального собрания Франции Шабан Дельмас. Среди публики можно было увидеть писателей, в частности, знаменитого Мориса

Дрюона. Приехала Лесли Бланш, первая жена Романа. И последняя его подруга Лейла Шелаби, марокканка, тоже находилась здесь. Естественно, в последний путь провожал отца Александр Диего. Он стоял в стороне от всех в пальто военного покроя. Священник отказался проводить траурную мессу — покойный был самоубийцей. К тому же он не исповедовал ни одну из религий. Была исполнена «Марсельеза». А потом неожиданно с церковных хоров послышался голос певицы: она исполняла на русском языке песню, которую в детстве напевала Роману его мать. Это было сделано согласно воле покойного. Так было записано в его завещании.

Польская певица с немыслимым акцентом пела романс Александра Вертинского:

...В последний раз я видел Вас так близко.
В пролеты улиц Вас умчал авто.
И снится мне — в притонах Сан-Франциско
Лиловый негр Вам подает манто.

Скорбные, молчаливые французы стояли, опустив головы, и думали, что звучит русская православная молитва.

Потом на кладбище Пер-Лашез состоялась кремация. А некоторое время спустя прах Романа Гари был развеян над Средиземным морем, которое он так любил. «Средиземноморье, любовь моя! До чего же твоя, столь милостивая к жизни, латинская мудрость была добра ко мне и благосклонна, и с какой снисходительностью твой старый подтрунивающий взгляд скользил по моему юношескому лбу! Я вечно буду возвращаться к твоему берегу, как рыбачья барка, возвращающаяся с пойманным в сети заходящим солнцем. Я был счастлив на твоем каменистом пляже».

P. S. Вот некоторые высказывания участников, у которых я брал интервью, у людей, знавших Гари.

Жорж Кижман, юрист, друг Романа Гари, бывший министр в правительстве Миттерана:

...Это был очень щедрый человек, но с несколько театральным поведением. Он был очень красивым, носил неординарную одежду, любил входить в известные рестораны, завернувшись в плащ, в большой шляпе. Борода усиливала его восточный облик. Очевидно, в нем присутствовал некий нарциссизм. Он был внимательным по отношению к другим людям, но все-таки довольно быстро старался вернуть разговор к главному, то есть к нему. Но всё это он делал с огромным обаянием и шармом... Александр Диего унаследовал красоту и своего отца, и своей матери. А еще он унаследовал от Романа Гари страсть к тайне. Именно поэтому с ним невозможно встретиться. Он бежит от интервью, не любит появляться на публике. Хотя чтит память об отце и восхищен его творчеством. Люди для Диего делятся на тех, кого любил его отец, которые остались ему верны, и на остальных, которые стали для него почти врагами, потому что они в какой-то момент могли ранить отца. Несмотря на то, что Романа Гари больше нет с нами, он внимательно следит за своими творениями и сегодня. Уверен, что ваш проект его очень интересует и он, находясь где-то там, вам за него признателен. Собственное бессмертие для него было важнейшей заботой, но его бессмертие, достигающее России, — это, возможно, даже более того, на что он мог надеяться...

...Для Павловича его положение тоже было болезненным. Он воображал себя писателем. Он не хотел быть просто племянником и тенью своего дяди...

За несколько дней до рокового выстрела

...С течением лет Павлович в конце концов поверил, что он и был Ажаром. Когда он узнал, что мы намерены издать эссе «Жизнь и смерть Эмиля Ажара», это разоблачение было для него очень болезненно. И он опередил всех. Это было еще одно из предательств Поля Павловича. Было договорено, что Александр Диего сам расскажет о мистификации, но Павлович первый поведал об этом в литературной передаче...

Николай Вырубов, командор Почетного легиона, кавалер Креста Освобождения: ...Гари говорил, что его единственная семья — это бывшие фронтовики, военные соратники...

...Он знал, что может встретиться с Россией, но не знал, захочет ли Россия встретиться с ним. Поэтому, я думаю, он никогда туда и не ездил...

...Он не мог перенести мысли, что может постареть, ослабеть, заболеть. Не быть на высоте того персонажа, которого создавал всю жизнь. Он хотел, чтобы о нем остались воспоминания: красивый, умный, талантливый, веселый и так далее...

...Однажды на приеме в английском посольстве мы оказались рядом, и я его спросил: «Кем ты чувствуешь себя, кто ты такой?» Он мне сказал: «Я себя чувствую русским человеком». Мы говорили с ним по-русски...

...Думаю, он покончил с собой потому, что почувствовал под конец жизни, что у него нет основы. У нас у всех есть какая-то пристань, у него ее не было.

И еще он хотел доказать, что на это способен. Ведь чтобы покончить с собой — нужно быть очень храбрым человеком. Это было его последнее доказательство...

Лесли Бланш, первая жена Романа Гари:

...За день до самоубийства он мне позвонил и сказал:

«Я неправильно разыграл свои карты...»

Доменик Бона, писательница, автор книги о Романе Гари:

...Роман Гари приготовил свою смерть. Он разложил все свои бумаги, решил все вопросы, касающиеся его сына. Это было задумано за многие месяцы до смерти. Это было решение, а не случайный жест. Это не было русской рулеткой...

...Он человек страдающий, раненый. Есть такие гранитные персонажи, известные писатели, артисты, политики. Я их называю монолитами, они очень сильные, твердые.

А есть другие, которых грызет их прошлое. У них есть тайные раны, слишком чувствительные. И эта чувствительность приводит их к ужасным страданиям. Это люди, которые с трудом переживают жизнь...

...Его произведения будут жить в следующем веке. Его истории прекрасны, они несут гуманизм, идею братства. И сейчас нам необходимы эти идеи...

Роман Гари, французский писатель, герой этого очерка:

«...Талант моей матери пробудил во мне желание подарить ей чудо искусства и жизни, о котором она столько мечтала, в которое так страстно верила и ради которого трудилась. Мне не верилось, что ей может быть отказано в справедливом исполнении мечты, поскольку казалось, что жизнь не может быть лишена артистизма до такой степени. Наивность, фантазия, вера в чудо, заставлявшие ее видеть в ребенке, затерявшемся в захолустье Восточной Польши, будущего великого французского писателя и посланника Франции, продолжали жить во мне со всей убедительностью красивых, вдохновенно прочитанных сказок. Я продолжал воспринимать жизнь как литературный жанр...»

И последняя строка из эссе «Жизнь и смерть Эмиля Ажара», опубликованного посмертно:

«Я славно повеселился. До свидания и спасибо».

О чем я жалею больше всего, заканчивая рассказ о Романе Гари? Что я не был с ним знаком. Ведь, оказалось, он всего на тринадцать лет старше меня. Но я, по милости «железного занавеса», не имел возможности прочитать ни одной его книги.

Больше того, я никогда не слышал его имени, не подозревал о его существовании. А ведь он покончил с собой в 80-м, когда мне было пятьдесят три года. Я уже поставил немало фильмов и несколько раз бывал во Франции, но встреча не состоялась. Роман Гари дорог мне как писатель и как человек. Он близок мне душевно. Он вызывает во мне нежность и восхищение. Именно поэтому я потратил больше года жизни на розыски материалов, чтобы узнать о нем и поведать вам о его удивительной судьбе. Как жаль, что, по сути, совпав во времени, мы не совпали в пространстве и в общественных формациях. Вообще лучше не думать о том, скольких возможностей мы были лишены из-за уродливого и идиотического «социализма». А сколько наших блистательных творцов — писателей, режиссеров, артистов, художников — остались неведомы для остального человечества. Очень горько! И никто не ответит за это...

СОДЕРЖАНИЕ

Литературно-художественное издание

Рязанов Эльдар Александрович

ПЕРВАЯ ВСТРЕЧА – ПОСЛЕДНЯЯ ВСТРЕЧА

Ответственный редактор *А. Корина*
Художественный редактор *А. Новиков*
Технический редактор *В. Бардышева*
Компьютерная верстка *О. Шувалова*
Корректоры *Н. Борисова, Л. Федотова*

ООО «Издательство «Эксмо»
127299, Москва, ул. Клары Цеткин, д. 18/5. Тел. 411-68-86, 956-39-21.
Home page: **www.eksmo.ru** E-mail: **info@eksmo.ru**

Оптовая торговля книгами «Эксмо»:
ООО «ТД «Эксмо». 142702, Московская обл., Ленинский р-н, г. Видное,
Белокаменное ш., д. 1, многоканальный тел. 411-50-74.
E-mail: **reception@eksmo-sale.ru**

По вопросам приобретения книг «Эксмо» зарубежными оптовыми покупателями *обращаться в отдел зарубежных продаж ТД «Эксмо»*
E-mail: **international@eksmo-sale.ru**

International Sales: *International wholesale customers should contact Foreign Sales Department of Trading House «Eksmo» for their orders.*
international@eksmo-sale.ru

По вопросам заказа книг корпоративным клиентам, в том числе в специальном оформлении, *обращаться по тел. 411-68-59, доб. 2115, 2117, 2118.*
E-mail: **vipzakaz@eksmo.ru**

Оптовая торговля бумажно-беловыми и канцелярскими товарами для школы и офиса «Канц-Эксмо»: Компания «Канц-Эксмо»: 142700, Московская обл., Ленинский р-н, г. Видное-2, Белокаменное ш., д. 1, а/я 5. Тел./факс +7 (495) 745-28-87 (многоканальный). e-mail: **kanc@eksmo-sale.ru**, сайт: **www.kanc-eksmo.ru**

Подписано в печать 18.11.2010.
Формат 84x108 1/32. Гарнитура «Таймс».
Печать офсетная. Усл. печ. л. 20,16.
Тираж 6 000 экз. Заказ № 1014

Отпечатано с электронных носителей издательства.
ОАО "Тверской полиграфический комбинат". 170024, г. Тверь, пр-т Ленина, 5.
Телефон: (4822) 44-52-03, 44-50-34, Телефон/факс: (4822)44-42-15
Home page - www.tverpk.ru Электронная почта (E-mail) - sales@tverpk.ru

ISBN 978-5-699-45677-2

9 785699 456772 >